Llyfrau Llafar Gwlad

Dilyn Afon Dwyfor

Tom Jones

Llyfrau Llafar Gwlad
Golygydd y gyfres: Esyllt Nest Roberts

Argraffiad cyntaf: Mai 2002

Rhif Llyfr Safonol Rhyngwladol:
0-86381-617-7

Llun y clawr: Afon Dwyfor, Llanystumdwy (Tom Jones)

Cynllun clawr: Smala/Sian Parri

Argraffwyd a chyhoeddwyd gan Wasg Carreg Gwalch,
12 Iard yr Orsaf, Llanrwst, Dyffryn Conwy, LL26 0EH.
☏ 01492 642031
🖷 01492 641502
llyfrau@carreg-gwalch.co.uk
lle ar y we: www.carreg-gwalch.co.uk

Diolch yn fawr i feirniaid Eisteddfod Môn am eu beirniadaeth deg ac i Idris Thomas, Bryn, Penmorfa, Porthmadog am gywiro'r gwaith.

Cynnwys

Dilyn Afon Dwyfor

Ddwy flynedd yn ôl, bu criw o blant Ysgol Llanystumdwy ac Ysgol Treferthyr, Cricieth, yn astudio afon Dwyfor am wythnos, ac yn creu llwybr cerdd a cherflunio ar ei glan.

LLWYBR Y PLANT

O Lyn Meirch i lan y môr,
Mae lôn hyd afon Dwyfor,
Yn llwch ar sgidiau, yn lli,
Yn wyfynod, yn feini;
Yn garlam, yn llam i'r llyn,
Yn neidar, yn wyniedyn;
Yn waedd ar Allt y Widdan,
Yn grëyr mud, a gro mân;
Yn ddwylo bras, yn ddail brau,
Yn gerrig nadd, a geiriau.
Ymdaith o Lanystumdwy,
Trywydd i blant o'r ddau blwy,
A'u mabinogi'n agor
O Lyn Meirch i lan y môr.

Twm Morys
mewn gweithdy gyda phlant
Llanystumdwy a Threferthyr

AFON DWYFOR

LLYN Y MEIRCH a GALLT Y WIDDAN
A LLYN GLAS ar gwr Coed Trefan,
A gerllaw y mae PWLL BERW,
Clywir sŵn a dwndwr hwnnw.
NODDLYN wedyn, a'i ddŵr llonydd,
A llochesau ei dorlennydd.
LLYN MAEN MAWR a LLYN Y GENOD,
LLYN TŶ NEWYDD, gwael am bysgod.
Y DORLAN FAWR sy wedi ei golchi
Ymaith gan y mynych genlli.
LLYN Y BONT a'r garreg honno
Yn ei ganol, da rwy'n cofio!
LLYN TAN CAPEL, LLYN Y FELIN
Ganwaith plygais ar fy neulin
Ar y cerrig, a minnau'n hogyn,
A dymuniadau am wniedyn.
LLYN Y GWREIDDYN, LLYN GLANRAFON,
A LLYN BEFRAN dan gysgodion.
Mae 'na un o newydd enw:
LLYN 'RHEN SHW bedyddiwyd hwnnw.
LLYN CAE CRIW a'r coed yn cuddio,
A LLYN TAN TRAP sydd islaw iddo.
LLYNNAU GOLCHI a'u gro dibrin,
FFOS Y CRIW ac YNYS BERCIN.
A gerllaw LLYN HIR sy'n llifo
Dan gysgodion coed sydd yno.
LLYNNAU'R HELIG a PHWLL GORLAN,
LLYN YR HENBONT ger Bontfechan.
Mae'r ddwy afon beraidd hyfryd
Yn ymuno yn Y DDWYRYD.
Ac oddi yno hyd y cefnfor
Yr enw arnynt ydi DWYFOR.
Y DORLAN LAS a'r WIG sydd wedyn,
Nid anghofiaf enwi CEMLYN.
Yr ALLT GOCH a'r llyn sydd dano;
Beth yw'r enw? Nid wy'n cofio!
LLYN Y TYWEIRCH, RHYD YR ODYN,
A LLYN MAWR hyd at FFOS TERFYN.
Ac islaw LLYN BACH sydd yma,
A LLYN DU wrth Big y Morfa.

Robert Jones, Llundain 1931
(derbyniais gopi drwy law cyfaill)

Rhan 1

O lan y môr i Lyn Meirch

Petawn yn cychwyn oddi yma tua'r de-orllewin efo cwch a chymryd llinell unionsyth ar draws cefnfor Iwerydd, fe laniwn rywle ar arfordir de America. Ond am fynd tua'r gogledd yr ydw i a dilyn afon Dwyfor o'r môr i'r mynydd.

Pam cychwyn yn yr aber? Fel arfer, dilyn afon o'i tharddiad i'r môr y bydd crwydriaid o'r fath. Un croes fûm i erioed medda Mam. Wn i ddim pam mae hi'n dweud hynny chwaith! Mae'n haws cerdded ar i lawr mae'n siŵr, ond wrth ddilyn yr afon hon dydi'r olygfa ddim cystal. Mae'n well wrth gerdded ar i fyny, neu wrth fynd mewn cerbyd os ydych chi'n rhy ddiog i gerdded.

Er mwyn cyrraedd aber afon Dwyfor fe fyddaf i yn gadael y car yn Bont Fechan ar lan afon Dwyfach i'r gorllewin o bentref Llanystumdwy (rhif map O.S. 380464) a cherdded i lawr ar hyd y llwybr cyhoeddus i lan y môr cyn troedio pwt o draeth i'r aber. Mae'r llecyn hwn ar lannau Bae Ceredigion ble mae'r dŵr croyw yn tywallt i'r heli yn un arbennig o hardd. Wrth edrych dros y môr tua'r de ar ddiwrnod clir fe welwch cyn belled ag Aberystwyth bron. Trowch eich golygon yn ôl tua'r gogledd ar hyd yr arfordir ac fe welwch y Bermo, Dyffryn Ardudwy a thref Harlech gyda'i chastell ar y graig. I fyny wedyn am Dalsarnau cyn dod at aber arall, sef aber afon Glaslyn ac yna aber afon Dwyryd. Cyn pen dim fe welir traeth y Greigddu gyda'r graig ddu yn ei rannu'n ddau draeth mewn gwirionedd, sef traeth melyn y Greigddu a'r traeth caregog a elwid yn yr hen amser yn draeth Nhegraig. Heddiw does fawr neb yn defnyddio'r enw hwnnw. Mae'r traeth yn arwain draw am dref Cricieth – hithau hefyd â'i chastell ar y graig. Deil y traeth i ymestyn tuag atoch yn garegog a chreigiog at aber afon Dwyfor. Trowch eich pen i'r dde ac edrych draw i gyfeiriad penrhyn Llŷn. Fe welwch cyn belled â Charreg yr Imbill ym Mhwllheli. Rhwng yr aber a'r fan honno mae traethau Afon-wen, Penychain ac Aber-erch.

Trowch i wynebu i fyny afon Dwyfor rŵan. Rhannau yn unig o'r afon sydd â llwybr cyhoeddus ar ei glan lle medrwch gerdded a mwynhau ei murmur wrth iddi lifo tua'r môr. Rwyf fi am ei cherdded ar ei hyd yr holl ffordd, gan aros yma ac acw i ddweud ychydig o hanes yr ardal y llifa'r afon drwyddi a sylwi ar ogoniant byd natur o'i chwmpas. Mae mwy na digon o'r ddau ar lan afon Dwyfor, coeliwch chi fi.

Rwyf am ddechrau cerdded y lan sydd ar ochr chwith yr afon wrth edrych ar i fyny. Gelwir y rhan yma o'r afon yn Ddwyfawr. 'Be mae hwn yn ei ferwi?' clywaf chi'n gofyn. Gwn imi ddweud mai afon Dwyfor yr wyf yn ei dilyn ond mae dwy afon yn cydlifo yma, sef afon Dwyfach ac afon Dwyfor. Dyna pam y gelwir y rhan hon yn Ddwyfawr, am nad yw nepell o'r fan lle prioda'r ddwy afon â'i gilydd yn uwch i fyny. Edrychwch ar y map (O.S. 379465) ac fe welwch lle mae'r ddwy yn cyfarfod.

Bu llongau yn dod at yr aber ar un adeg. Pan fyddai'r llanw i mewn deuai cychod i gario'r nwyddau i fyny'r afon gan lenwi'r afon am dri chwarter milltir. Cario glo wnâi'r rhan fwyaf a hefyd galch i'w roi ar y tir ac i adeiladu tai. Ychydig uwch na'r aber mae llyn o'r enw Llyn Du lle cedwid cychod o bob math tan yn weddol ddiweddar, rhai yn gychod cario nwyddau, eraill i bysgota a hamddena. Ychydig iawn o gychod sydd yno erbyn heddiw.

Oddi yma i fyny hyd at bont y rheilffordd mae'r afon yn eithaf llydan ac nid yw'r dŵr yn rhy ddwfn. Yn yr haf gallwch groesi yma ac acw heb wlychu eich pennau gliniau. Yn yr haf hefyd y gwelwch ddigon o bysgod ond ichi fod yn wyliadwrus a chuddio o'u golwg. Nid eogiaid na brithyll môr neu sewin yw'r rhain ond migrwn *(mulus surmuletus), mullets* yn Saesneg. Maent yn bla ers blynyddoedd bellach ac yn nofio'r rhan yma o'r afon cyn belled ag yr aiff y llanw.

Ar hyd y rhan helaethaf o lan yr afon mae tir gwastad a ffrwythlon. Ar y chwith gwelir fferm Glanllynnau ac ar y dde, ar ochr arall yr afon, mae Aberkin, neu Abercain yn y dyddiau a fu. Yn gwmni i'r crwydryn mae hwyaid yr eithin, hwyaid gwylltion ac elyrch yn eu sidan gwyn yn nofio i fyny ac i lawr yr afon. Yn yr haf gallwch weld nythaid o gywion llwydion yn eu dilyn os ydych yn lwcus.

Cyn cyrraedd pont y rheilffordd mae ynys fechan. Yn ôl yr hen drigolion byddai cychod yn cael eu cadw yma ac fe welir ambell ddolen i glymu'r cychod fan hyn a fan draw.

Dyma ni wedi cyrraedd pont y rheilffordd, pont ac iddi dri mur carreg cadarn iawn i gario'r lein. Lein y Cambrian a adeiladwyd tua 1866 yw honno, yn teithio o Bwllheli i lawr ar hyd yr arfordir. Y bwriad oedd parhau â'r lein o Bwllheli i Borth Dinllaen er mwyn cludo nwyddau oddi yno efo llongau drosodd i Iwerddon, ond penderfynwyd adeiladu'r porthladd yng Nghaergybi yn hytrach na Phorth Dinllaen. Islaw'r bont hon y daw taith pysgotwyr afon Dwyfor i ben gan amlaf am nad oes rhagor o byllau sy'n werth eu pysgota i lawr tuag at y môr.

Ar ochr dde yr afon mae'r tir yn codi'n serth gyda choed derw, helyg a chyll yn gwarchod y dorlan. Mae'r lan sydd ar ochr chwith yr afon yn fwdlyd ac mae gofyn i gerddwyr droedio'n ofalus rhag iddynt wyro oddi ar y llwybr sy'n arwain ar hyd y morglawdd pridd. O'r fan yma mae gogoniannau byd natur yn ddirifedi. Gwelir hesg trwchus yn ystod yr haf a dyma lle mae'r glas y dorlan yn pysgota ac yn nythu a magu ei gywion. Yn yr helyg cuddia telor yr hesg a'r penddu a llu o adar bach cyffredin eraill megis robin goch, aderyn y to, coch y berllan y fwylachen a'r fronfraith. Daw pysgotwyr eraill yma hefyd o bryd i'w gilydd, sef y crychydd neu'r crëyr glas.

Ar ôl cerdded llwybr go unionsyth ar lan yr afon down yn awr at y tro cyntaf sy'n weddol siarp – man a elwir yr Allt Goch. Hwn yw'r pwll neu'r llyn cyntaf i eogiaid a sewin aros ynddo wrth ddod i fyny i'r afon o'r môr. Maent yn aros yn y pyllau cyntaf er mwyn ymgyfarwyddo â'r dŵr croyw ar ôl bod mewn dŵr hallt cyhyd. Yn y rhannau isaf hyn y gwelwch yr eog a'r sewin yn neidio neu'n trochi ar wyneb y dŵr. Diben y neidio a'r trochi yw i gael gwared â llau môr oddi ar eu cyrff. Creaduriaid bach brown, siâp pedol gyda chynffon yw'r llau ac ni allant fyw yn hir mewn dŵr croyw. Unwaith y maent wedi nofio i fyny'r afon welwch chi fawr ar yr eog na'r sewin wedyn, ond er dweud hyn delir pysgod ffres iawn gyda llau môr arnynt bedair a phum milltir i fyny'r afon pan fydd y llif yn gryf. Mae'r pysgod hyn wedi bod yn y môr yn rhy hir ac eisiau cyrraedd man eu genedigaeth yn o fuan, er mwyn claddu eu hepil hwythau yn yr un lle. Prin fod hynny'n digwydd o gwbl erbyn heddiw, ysywaeth, gan fod nifer y pysgod yn yr afon wedi gostwng yn arw a hynny mewn cyfnod byr.

Pan oeddwn i'n dechrau pysgota yn yr Allt Goch yn y chwedegau, cofiaf gynifer â dau gant a mwy o bysgod yn gorwedd ar wely'r afon. Sewin oedd y rhan fwyaf ohonynt. Yr adeg honno gwelais ddeuddeg pysgotwr yn pysgota o'r llyn hwn i lawr hyd at bont y rheilffordd, ond erbyn heddiw wn i ddim a oes unrhyw un yn pysgota yno yn ystod tywyllwch y nos heb sôn am yng ngolau dydd. Byddai'n rhaid cyrraedd yma'n fuan fin nos er mwyn cadw lle i bysgota pluen wedi iddi dywyllu, neu chaech chi ddim lle yn unman oherwydd nifer y pysgotwyr. Dim ond trwydded gwialen gan y Bwrdd Dŵr (sef Bwrdd Dŵr Cymru) oedd arnoch ei angen bryd hynny. Doedd dim sôn am fod angen tocyn y clwb lleol, sef Genweirwyr Cricieth, Llanystumdwy a'r Cylch. O'r Allt Goch hyd at Lyn y Ddwy Afon yn uwch i fyny'r afon nid oes angen tocyn clwb er mwyn pysgota. Byddai llawer ohonom yn gorfod pysgota yma ers talwm am na allem fforddio tocyn y clwb lleol ar y pryd. Roedd cyflogau'n isel iawn yn y chwedegau cynnar. Rhwng chwe phunt ac wyth bunt oedd cyflog wythnos gwas fferm yr adeg honno. Os cofiaf yn iawn roedd y clwb yn codi tua degpunt y tymor ar yr aelodau ac os nad oedd lle byddai'n rhaid aros ar y rhestr fer am tua dwy flynedd cyn cael eich enw ar y rhestr gyflawn.

Dyma fi wedi crwydro oddi wrth yr afon unwaith eto. Yn ôl â ni i'r Allt Goch. Roedd dyfrgwn i'w gweld yn y parthau hyn hyd at ddiwedd y saithdegau. Dyna pryd y clywais chwiban olaf y dyfrgi yn ystod y nos. Pam y bu iddynt ddiflannu o afon mor lân ei dŵr? Ai llygredd ynteu ddiffyg bwyd sy'n gyfrifol?

Gwell symud ychydig rownd y tro, gyda'r afon yn sythu am ryw ganllath cyn troi eto i'r dde. Dyma ni'n awr yn Llyn Concrit, neu'r hyn sydd weddill ohono beth bynnag. 'Pam Llyn Concrit?' fe'ch clywaf yn gofyn. Wel, mae darn bychan iawn o'r wal goncrit fu ar draws y llyn ar un adeg i'w weld o hyd yr ochr yma. Roedd llifogydd wedi tyllu tyllau yn y wal ac fe ddymchwelodd rhan ohoni ar ei hochr. Yma y gwelais y cynffonnau mwyaf a welais erioed mewn afon, ar fy llw. Ie, cynffonnau pysgod – eogiaid ac ambell sewin mawr a oedd wedi gwthio i mewn o dan y wal goncrit gan feddwl cuddio. Ond roedd y pysgod druan yn rhy fawr i fynd i mewn o'r golwg ac felly roedd eu pennau yn y tyllau a'u cynffonnau allan i bawb eu gweld. Fu'r wal ddim yno'n hir wedyn. Dechreuodd drwgweithredwyr fynd â physgod oddi yno'n anghyfreithlon ond llwyddodd un pygotwr enwog o'r ardal i gael y Bwrdd Dŵr i dynnu'r wal, a dyna ddiwedd y llyn. Aeth yn fas ac ni fu hwyl o gwbl ar ddal pysgod ynddo wedyn. Mae hyn wedi gwneud gwahaniaeth mawr yn is i lawr yr afon hefyd oherwydd bod y llif yn erydu'r dorlan ac yn creu mwy o drafferth o lawer.

Gwelir rhyd lydan yn awr cyn dod o'r diwedd at Lyn y Ddwy Afon. Yma mae'r ddwy afon yn cyfarfod â'i gilydd – afon Dwyfach o'r chwith ac afon Dwyfor ar i fyny'n syth – ond nid felly y bu hi erioed. Cyn i'r rheilffordd gael ei hadeiladu yn 1866 llifai afon Dwyfach i'r môr ar ei phen ei hun, a hynny drwy dir fferm Glanllynnau. Os ewch i fyny tua thri chwarter milltir i'r gogledd-orllewin a cherdded o dir y Glyn tua Glanllynnau gallwch weld lle llifai afon Dwyfach tua'r môr. Yn terfynu â'r afon ar y chwith yma mae tir, neu un cae yn hytrach, sy'n perthyn i fferm fechan Bont Fechan. Rhwng y llyn olaf a'r Ddwy Afon mae coed helyg yn tyfu'n drwchus gan blygu eu canghennau dros yr afon.

Ni chaiff cerddwyr fynd ymhellach ar hyd glan yr afon am ei fod yn dir preifat, ond mae gan y clwb lleol yr hawl i bysgota oddi yma i fyny at bentref Llanystumdwy o hyd. Felly ewch yn ôl at eich car ger Bont Fechan ac anelu am Lanystumdwy. Cofiwch droi yng nghroeslon Tyddyn Sianel ar y chwith, dal i deithio i fyny'r allt ac yna ar i lawr i'r pentref. Fe welwch yr ysgol ar y chwith, yna'r uned lle maent yn lliwio crysau chwys lle bu gynt fodurdy yr enwog W.S. Jones, neu Wil Sam i'r rhai sy'n ei adnabod yn iawn. Wedyn ewch heibio i'r eglwys, dros bont y pentref a throi eto i'r chwith cyn mynd i fyny'r allt i ben uchaf y rhes dai sydd ar y dde. Arhoswch yno hyd nes y byddaf gyda chi ymhen ychydig dudalennau.

Rwyf i am groesi afon Dwyfach ar yr ochr isaf i Lyn y Ddwy Afon at dir fferm Aberkin, un o'r ffermydd ffrwythlonaf sydd ar hyd yr afon. Mae'n dir o ansawdd da iawn i godi cnydau o bob math yn ogystal ag i besgi anifeiliaid, a dyna a wneir yma. Mae'r bustych a'r defaid yn werth eu gweld bob amser.

Ar i fyny rŵan ar y dde ac at afon Dwyfor. Ie, at afon Dwyfor y dof yn awr gan adael afon Dwyfach. Cerddaf lle mae miloedd o bysgotwyr wedi troedio, rhai ohonynt yn bur enwog.

Gresyn inni golli rhai o'r hen drigolion o'n plith. Gallwn fod yma am weddill fy oes yn sôn amdanynt ac yn ysgrifennu cyfrolau am yr hanesion difyr oedd ganddynt am bysgota'r afon. Y troeon trwstan, y straeon digri a'r tynnu coes bob nos yn ddi-feth. Ond waeth heb na hiraethu bellach, mae'n llawer rhy hwyr. Nid oes yr un cymeriad yn perthyn i sgotwrs heddiw gwaetha'r modd. Mae'r hiwmor wedi diflannu ac nid yw'r sgwrs mor flasus bellach wrth i bawb fod â'i feddwl ar ddim ond dal pysgod a'r rheiny'n andros o brin.

Dros y gamfa gyntaf a dyma fi yn Henbont – llyn hir rhyw bymtheg troedfedd o led. Llyn wedi ei wneud yw hwn fel llawer un arall ar hyd yr afon. Cludwyd cerrig mawr ar draws yr afon ger y gamfa er mwyn cael llyn go lew i ddal pysgod oddi ar y llanw. Ar y dde yn y fan yma mae'r dorlan rhyw lathen yn uwch na'r afon ac yn hawdd ei cherdded. Mae'r ochr bellaf acw yn wyllt a'r tyfiant yn gwyro drosodd ac yn gysgod da i'r pysgod yn ystod y dydd. Llifa'r afon yn esmwyth yn rhan isaf y llyn gyda'i ddyfnder oddeutu wyth troedfedd mi dybiwn. Yma y gorwedd yr eog a'r sewin. Hyd at yr argae nesaf mae'r dŵr yn llawer mwy bas ac yn llifo'n gynt. Mae hefyd yn fwy egr gan ei fod yn llifo dros y cerrig a'r gro mân sydd ar wely'r afon. Arferwn bysgota'r rhan uchaf yn hytrach na'r rhan isaf yn ystod y nos. Gweithiai'r bluen yn well yn y dŵr rhedegog ac yn ystod y tywyllwch byddai'r pysgod yn nofio i fyny ac yn aros yn y dŵr gwyllt yn aml am mai yno yr oedd y mwyaf o ocsigen i'w gael.

Mae coed cyll ac ambell helygen yn tyfu ar yr ochr bellaf acw ac ar y dde mae'r goeden dderw fwyaf a'r gyntaf y dof ati ar y daith. Rhaid bod yn ofalus wrth daflu pluen ar wyneb y dŵr yn y rhan uchaf yma rhag ofn ichi gael eich dal yn y brigau mân yr ochr draw neu ym mrigau'r goeden dderw yr ochr yma. Wrth bysgota bydd yn rhaid i mi gyfrif fesul tipyn i gael hyd y lein yn iawn a cheisio cofio lle mae'r canghennau hiraf yn ymestyn dros yr afon er mwyn taflu'r bluen yr ochr uchaf iddynt, a honno wedyn yn nofio ar wyneb y dŵr. Yn aml bydd pysgodyn yn gorwedd yno yn barod i gipio'r bluen.

Fel y dywedais, y sewin gaiff ei bysgota yn y tywyllwch am na chymer yr eog abwyd yn ystod y nos. Mae'n ddigon anodd cael hwnnw i gymryd abwyd yn ystod y dydd oherwydd nid yw'n bwyta ar ôl dod o'r môr i'r afon hyd nes y bydd wedi claddu ei wyau, a hynny rhwng mis Tachwedd a mis Rhagfyr. Bydd yn nofio'n ei ôl i'r môr rai dyddiau wedyn, os bydd yn ddigon lwcus i fedru byw cyhyd. Pan fydd yr eog yn cymryd abwyd, gwna hynny i amddiffyn ei diriogaeth neu am ei fod wedi gwylltio.

Sut y cafodd Llyn Henbont ei enw dybiech chi, a'r un bont yn agos i'r lle? Yng ngwaelod Pwll Gorlan yr oedd yr hen bont, nid yn Henbont. Hyd heddiw mae mur cerrig i'w weld yr ochr draw ond nid oes neb yn cofio'r bont ei hun, hyd yn oed yr hen drigolion a arferai bysgota yma flynyddoedd yn ôl.

Ni chlywais erioed eglurhad am enw Pwll Gorlan, y llyn nesaf i fyny, ac nid oes sôn nac olion hen gorlan yma heddiw. Mae hwn yn llyn hir hefyd ac yn llifo'n esmwyth braf. Mae digon o gysgod o'i gwmpas a'r tir yr ochr bellaf yn codi oddeutu ddeg troedfedd o uchder gyda choed derw mawr, cryf ar y llethr i lawr at y dorlan. Mae torlan dda yma. Beth amser yn ôl cofiaf glywed pysgod yn neidio o dan y dorlan hon. Gallwn eu clywed yn taro'n erbyn y gwreiddiau ac yn disgyn yn ôl i'r afon nes byddai cylchoedd ar wyneb y dŵr y tu allan i'r dorlan. Wrth bysgota â Sais lleol yn gynnar un bore, daliais sewin naw pwys ac owns yn y fan yma. Wedi dod ag ef i'r lan a throi yn ôl i wynebu'r afon cawsom fraw ofnadwy. Roedd y ddau ohonom wedi cynhyrfu digon o weld sgodyn naw pwys wedi ei ddal ar fachyn rhif 14 a dim ond croen ei wefl isaf yn sownd yn y mymryn bach, ond ow! o'n blaenau yn yr afon roedd oddeutu pum cant o bysgod braf wedi dod allan oddi tan y dorlan ar ôl i mi ddal y sewin. Roedd hwnnw wedi cynhyrfu'r dyfroedd ac wedi codi mwd mae'n siŵr, felly bu'n rhaid i'r gweddill ddod allan. Buom yn eistedd yno yn eu gwylio am dros awr wrth iddynt ddiflannu'n ôl yn araf o dan y dorlan bob un wan jac. Bu raid i mi danio smôc i'm cyfaill; roedd o wedi cynhyrfu gymaint nes ei fod yn crynu fel deilen ar goeden mewn gwynt.

Beth amser yn ôl rhoddwyd enw arall ar Bwll Gorlan gan y

Saeson sy'n dod yma o ffwrdd i bysgota. Am fod celynnen fawr ar yr ochr yma a hwythau'n methu â dweud yr enw Cymraeg, galwyd y llyn yn *'Holybush Pool'*. Buan iawn y rhoddais daw ar hynny. Pan ddeuai Sais ataf a dweud ei fod wedi bod neu yn mynd i *'Holybush Pool'*, gofynnwn innau iddo ble ar wyneb y ddaear yr oedd y ffasiwn lyn. Buan iawn y blinodd y Saeson arnaf yn eu cywiro fel hyn o hyd ac ymdrechent i ddweud yr enwau Cymraeg o hynny ymlaen.

Ym mhen uchaf Pwll Gorlan mae lle i rywun bysgota yn ystod y nos a hynny ar yr ochr chwith. Gelwir y rhan fach yma yn Llyn John Henry. Mae'n debyg fod un John Henry wedi bod yn pysgota yno gan ddal yn dda. Nid llyn na phwll mohono'n union ond rhediad i mewn i Bwll Gorlan. Nid yw'n lle hawdd i'w bysgota am ei fod ynghanol drain, mieri a choed felly roedd yn lle da iawn pan fyddai'r pysgod yn rhedeg yn y nos.

Ar y dde mae llwyni o ddrain duon yn tyfu. Maent wedi cael eu melltithio lawer gwaith wrth i bysgotwyr daflu pluen tuag at yn ôl cyn ceisio'i thaflu ymlaen drachefn i'r afon a honno'n sownd yn y canghennau. Mae sawl un wedi cael pluen am ddim wrth chwilio'r coed yn ystod y dydd a'u tynnu i lawr i'w defnyddio'r noson honno i ddal pysgod. Pluen wedi ei chael fel hyn sy'n dal orau yn aml. Fe'i cedwir os nad oes un yr un fath yn y bocs plu er mwyn cael patrwm i wneud un arall debyg iddi. Fe fydd plu wedi eu gwneud gartref yn gweithio'n well na rhai wedi eu prynu. Mae'r bluen gartref yn feinach o gorff ac yn gweithio'n well yn y dŵr na'r rhai a brynir ac fe geir mwy o wefr wrth ddal sgodyn ar eich pluen eich hunan nag ar un wedi ei phrynu. Pan fyddaf yn gorfod prynu pluen y peth cyntaf a wnaf yw ei rhwbio'n dda yn y pridd er mwyn ei meinio a'i gwneud i edrych yn fwy naturiol, ac wedi i rai o'r plu ddod yn rhydd fe weithia'n well o lawer. Bydd maint y plu a ddefnyddir yn amrywio hefyd o bryd i'w gilydd, o fachyn bach iawn hyd at liwer tua phedair modfedd o hyd. Dydw i fawr o giamstar ar yr hen bethau mawr. Maent yn rhy drwsgwl o lawer, ond pan fydd yn rhaid rhoi tro ar rywbeth fe fyddaf yn eu defnyddio ar adegau prin. Defnyddir y liwer pan na fydd plu cyffredin yn gweithio ac mae hynny'n digwydd yn llawer rhy aml!

Af dros y gamfa yn awr ac ar hyd ochr y cae gyda glan yr afon yn glòs. Ar y chwith i mi mae Llyn Shêd. Byddem yn pysgota yr ochr draw i hwn ar noson olau leuad gan y byddai cysgod yr ochr yma i bysgod fynd i fyny yn y tywyllwch.

Llyn Weirs yw'r nesaf. I'r sawl sy'n pysgota yma mae cwpan i'w chael am y sachaid mwyaf a ddelir mewn noson, ond erbyn heddiw fe fyddech yn lwcus o weld un pysgodyn yn dod allan mewn tymor, heb sôn am un noson.

Dof at bont droed yn awr. Y clwb sydd wedi gosod hon i hwyluso croesi'r afon i ochr Tyddyn Sianel. Yma mae'r mannau gorau i bysgota ohonynt nes y dewch at Lyn Hir a Llyn Baffles. O Lyn Baffles y cefais y brithyll brown mwyaf a ddaliais yn afon Dwyfor erioed. Pwysai bwys union, roedd yn ddu fel y fagddu ac yn hen fel pechod, ar fy llw. Roedd ei ên isaf bron â thorri drwy ei ên uchaf ond roedd yn fendigedig ar ôl bod yn y badell i'r croen gael crimpio'n braf.

Rwyf wedi cyrraedd ynys yng nghanol yr afon erbyn hyn, gyda choed mawr o bob math yn tyfu arni a thyfiant trwchus ar y llawr yn y gwanwyn a'r haf, lle ardderchog i fywyd gwyllt. Yn y coed ym mhen pellaf yr ynys mae olion hen ffordd drol a gâi ei defnyddio i gario glo a chalch o'r cychod yn is i lawr yr afon. Cludid y nwyddau heibio i Dyddyn Sianel ac i Blas Talhenbont, ac o bosib i Blas Gwynfryn a'r ffermydd cyfagos. Yr ochr uchaf i'r ynys roedd hen drap dal pysgod. Flynyddoedd yn ôl roedd gan y tirfeddiannwr hawl i ddal rhywfaint o bysgod pob blwyddyn yn y trap hwn. Does gen i ddim cof o'r trap; dydw i ond wedi clywed yr hen bobl leol yn dweud mai yma yr oedd.

Ar yr ochr chwith mae'r tir yn codi'n eithaf serth a gwinllan wyllt yn tyfu yno – coed eirin da iawn o bobtu'r hen ffordd, derw, cyll, ynn, criafol a drain gwynion a duon. Maent mor drwchus fel na all dim arall dyfu oddi tanynt bron. Ceir ychydig o flodau yn y gwanwyn megis bwtsias y gog, blodau'r gwynt a suran y coed ac maent yn dlws dros ben cyn i'r coed ddod i'w dail.

Dof at ddau lyn gwneud yn awr. Nid oes gan y cyntaf enw, ond Llyn Bach Dan Trap yw'r uchaf er ei fod yn uwch na'r hen drap. Cafodd yr enw oherwydd bod y clwb wedi enwi'r llyn nesaf i fyny yn Trap, llyn hir lle mae'r afon yn troi'n araf i'r dde. Mae anferth o garreg yn ei ganol – lle da iawn i bysgod guddio oddi tani. Yn ei fan dyfnaf mae hwn eto oddeutu wyth i ddeg troedfedd o ddyfnder. Mae'r dorlan ar yr ochr dde yn arwain yn raddol i mewn i'r afon yn y tri llyn, ac yn y rhan isaf mae cerrig gwaelod yr afon yn gorchuddio'r dorlan. Nid hawdd yw cerdded ar eu hyd, yn enwedig pan fo'r tywydd yn wlyb gan eu bod yn llithrig fel sebon. Maent yn bethau blin iawn i sefyll arnynt hefyd wrth bysgota'r ddau lyn islaw'r Trap ac mae sawl un wedi cael codwm yn ystod y nos wrth ymbalfalu at y lan.

Yma wrth y Trap, dan yr hen dderwen sydd ar rhyw bwt o glawdd pridd a cherrig rhwng yr afon a'r cae y byddem yn cyfarfod gyda'r nosau. Petai'r hen goeden yn medru siarad rwy'n siŵr y byddai ganddi gannoedd o straeon digrif i'w dweud. Bu llawer o dynnu coes, hel straeon a rhannu atgofion melys yma. Cofiaf un stori fach wir am ddau gyfaill yn cyd-sgota yma un noson a'r un o'r ddau yn dal, ond mwya sydyn dyma alwad gan un fod ganddo bysgodyn go fawr ac na fedrai wneud dim ag ef. Roedd yn mynd i bob man ac yn codi i wyneb y dŵr o hyd. Daeth ei gyfaill ato gan feddwl rhoi cymorth iddo. 'Mi rown y lamp arno i ni gael ei weld i ddechrau,' meddai'r mêt, ond pan welodd beth oedd ar flaen y wialen dywedodd 'nos da' wrth ei gyfaill a'i heglu hi i fyny'r cae nerth ei draed a gadael ei fêt yno efo dyfrgi mawr â bach yn ei gefn. Do, daeth i ffwrdd rywsut.

Cofiaf fod yma'n pysgota gyda ffrindiau rhyw noson. Daliodd un cyfaill ei bysgodyn cyntaf a'i roi ar fôn yr hen dderwen. Aeth yn ei ôl i bysgota a dal un arall. Aeth â hwnnw i'r un fan a chanfod fod y cyntaf wedi mynd. Ni oedd yn cael y bai am ei guddio. Yn ôl i bysgota drachefn a dal un arall. Mynd â hwnnw i'r un lle a'r ail eto fyth wedi diflannu. 'Y diawlad, dowch â 'mhysgod i'n ôl.' Roedd pawb yn gwadu cuddio ei bysgod. Fydden ni byth yn meddwl gwneud y ffasiwn beth. Daliodd ei bedwerydd a daeth yn amser paned. Roedd pawb yn dal i wadu ond doedd yr hen foi ddim yn ein credu nes i rywun ddweud fod rhywbeth yn symud i fyny'r cae ychydig oddi wrthym. Aeth y cyfaill i edrych beth oedd yno a gwelodd gath fawr yn bwyta ei bysgodyn. Cafodd hyd i weddillion ei bysgod wedi eu hanner bwyta yma ac acw ar hyd y cae. I'r bag yr âi'r pysgod bob nos wedyn a'i gau yn dynn. Y cwestiwn a gâi yn aml wedi hynny oedd 'Wyt ti wedi bwydo'r gath heno?' 'Cau dy geg!' fyddai'r ateb bob tro a rhyw wên fach ar ei wyneb.

Un noson roedd pawb wedi ymgynnull o dan y goeden yn y Trap. Aeth un hen sgotwr i roi pry genwair yn y dŵr mewn llyn yn uwch i fyny er mwyn cadw lle ar gyfer pysgota nos. Gadawodd ei wialen ar ffon a dod atom am sgwrs. Aeth dau arall i fyny at y wialen yn ddistaw, rhoi rhywbeth ar y bach, ei glymu'n sownd rhag iddo ddod yn rhydd a'i luchio'n ôl i'r afon. Buom yn sgwrsio a chael hwyl am tua awr. Toc dyma rhywun yn dweud fod yr ystlum allan ac y buasai'n iawn i ni ddechrau pysgota. I ffwrdd â phawb at ei wialen a'r hen Bill at ei stand yntau. Fe ddilynodd y gweddill ohonom Bill o bellter a'i wylio'n codi'r wialen. Gan ei bod yn llwyd-dywyll erbyn hyn aethom y tu ôl iddo er mwyn cael gweld a chlywed yr hyn a ddywedai pan ddeuai'r trychfil i'r wyneb. Dyna lle'r oedd yn tynnu a thynnu. *'There must be a bloody big eel on this,'* meddai. Pan gododd Bill y trychfil i'r wyneb a dod i'r lan, tynnais ei lun gyda'm camera. Yn anffodus nid yw'n llun rhy dda ond cofiaf wyneb yr hen Bill hyd heddiw wrth iddo godi crocodeil tua phedair troedfedd o hyd wedi ei stwffio. *'You diawlad!'* oedd yr unig beth a lefarodd Bill cyn mynd i lawr ar ei liniau fel pawb arall yn glanna chwerthin. Pan fyddai rhywun yn tynnu ei goes wedyn, ei ateb bob tro oedd *'Only one can say that he's caught a crocodile in afon Dwyfor!'* Ie, hwyl ddiniwed y sgotwrs. Chlywais innau am neb yn dal crocodeil yno na chynt na chwedyn!

Wrth gerdded gyda'r wal heibio i'r Trap dof at Gae Criw. Mae pedwar llyn hardd iawn yma ac nid yw'r afon mor llydan. Cae Criw yw'r llyn cyntaf, a'r un nesaf yw Cae Criw Bach. Yna dof at lyn bach sydd ac enw diddorol iddo, sef Llyn Befran. Bûm yn holi'r diweddar Athro Bedwyr Lewis Jones ynglŷn ag ef ond ni chafodd yntau oleuni ar yr enw.

Mae un llyn arall uwchben hwn eto sef Llyn Dan a enwyd ar ôl hen gipar y clwb, Daniel Pritchard. Erbyn heddiw mae Llyn Befran a Llyn Dan wedi mynd yn un. Dan oedd fy rhagflaenydd i fel cipar y clwb. Hen gymeriad hoffus iawn ydoedd a bu'n edrych ar ôl afon Dwyfor am flynyddoedd lawer. Wn i ddim a ddaliodd o rywun erioed. Chlywais i erioed sôn. Mynd o gwmpas yn arwyddo tocynnau'r clwb wnâi Dan a gwneud yn siŵr fod pawb yn eu cario efo nhw wrth bysgota. Gan ei fod yn ddyn bychan o gorff gallai gerdded glan yr afon heb i neb sylwi arno. Ei dric oedd dod yn ddistaw bach y tu ôl i chi a thrawo'i ffon ar eich ysgwydd. Byddai sawl un yn synfyfyrio a'i feddwl ymhell ym mherfeddion yr afon cyn i'r ffon drawo'i ysgwydd a'r galon yn neidio i'r gwddf a Dan yn chwerthin bob tro. Fe ddychrynodd Dan ei hun un waith wrth wneud hyn i fyny yng nghoed Trefan. Roedd dyn dieithr yn pysgota Pwll Berw ac yn ôl y sôn mae ysbryd yn y pwll hwnnw. Roedd y cyfaill yn eistedd ar garreg ar ymyl y pwll heb wybod fod Dan y tu ôl iddo, ac wedi bod ers peth amser hefyd. Ond pan laniodd y ffon ar ei ysgwydd dyma'r cyfaill yn hanner codi a phlymio ar ei ben i'r pwll yn ei ddychryn.

Fe dalodd rhywun y pwyth yn ôl i'r hen Dan un noson pan oedd ar ei sgowt i lawr yr afon. Cwynai Dan fod y gwybed bach yn ei boeni'n arw ac meddai rhywun wrtho, 'Mae gen i'r feri peth i ti, Dan,' ac estyn tun crwn iddo. 'Rhwbia hwnna ar dy wyneb a dy wddw a phaid â'i roi yn agos i dy lygaid.' A dyma iro yn y fan a'r lle ac i ffwrdd ag ef. Doedd y saim ddim yn gweithio'n rhy dda ac ni fu Dan fawr o dro nes ei fod yn troi tuag adref. Cyrhaeddodd rywbryd rhwng un ar ddeg a hanner nos ac i mewn ag ef drwy'r drws i'r ystafell fyw lle'r oedd ei wraig a'i ferch yn eistedd. A dyna fraw a gawsant. Roedd y ddwy yn sgrechian am y gorau. Pan aeth yr hen Dan at y drych fe ddychrynodd ei hun wrth weld wyneb du fel y fagddu a dau smotyn gwyn bob ochr i'w drwyn yn syllu'n ôl arno. Polish du oedd yn y tun! Do, bu'n stori boblogaidd iawn am sbel a llawer o dynnu coes eto fyth ar lan afon Dwyfor.

Beth amser ar ôl i mi ymuno â'r clwb daeth Dan ataf a dweud, 'Chdi fydd yn gwneud y job yma flwyddyn nesaf. Mae'n mynd yn ormod i mi rŵan ac mae gen ti gar i fynd a dŵad. Mae digon o botsiars yn Pennant 'cw. Mi rydw i wedi rhoi dy enw gerbron y pwyllgor yn barod.'

Sut ar wyneb daear y medrech chi wrthod gorchymyn fel yna? Fedrech chi ddim gwrthod Dan rywsut, felly ymhen y flwyddyn roeddwn yn dechrau ar y gwaith o gipera afon Dwyfor ar ran y clwb. Wnes i erioed ddifaru derbyn y swydd oherwydd fe ddaeth yn waith llawn amser i mi yn nes ymlaen, efo'r clwb lleol, efo'r Bwrdd Dŵr ac efo'r Awdurdod Afonydd wedyn. Ymhen blynyddoedd daeth yr arian ar gyfer y swydd i ben a dyma roi gorau i gyflogi cipar llawn amser. Cyfnod gwarchod afon Dwyfor fu cyfnod hapusaf fy mywyd i. Mae'r afon lle treuliais lawer noson ddifyr yn ei physgota mor agos i'm calon. Deuthum i'w hadnabod fel cefn fy llaw wrth gerdded pob modfedd ohoni a dysgu llawer am yr hyn sydd ar ei glan – y bywyd gwyllt a holl hanes ei chyffiniau. Cefais gyfle hefyd i holi ynghylch enwau'r llynnoedd sydd ar ei hyd ac fe'u cofnodais a llunio map o'r afon. Mae hwnnw bellach yn nwylo'r clwb ynghyd â'r enwau i gyd. Cyhoeddais y cyfan yng nghylchgrawn *Y Naturiaethwr* a gyhoeddir gan Gymdeithas Edward Llwyd hefyd ar ôl i mi arwain taith ar hyd afon Dwyfor yn 1992. Felly nid aiff yr enwau yn angof bellach gobeithio. Gresyn na fuasai pob clwb pysgota drwy Gymru yn gwneud yr un fath yn hytrach na bod yr hen enwau yn mynd ar goll a Phwll Gorlan yn troi'n *Holybush Pool* a rhan o Henbont yn troi'n *Boiling Pot Pool*. Go fflamia nhw, ddyweda i!

Islaw'r allt sydd o'n blaenau yn awr mae'r afon yn ystumio ychydig i'r chwith ac yno mae llyn da arall sef Llyn Cam. Yn y llyn hwn y pysgotais efo pluen gyntaf erioed. Cefais y wialen gan gyfaill sy'n frawd-yng-nghyfraith i mi erbyn hyn. Daeth â hi o rywle dros y môr pan oedd yn gweithio ar y llongau. Mae'n gwneud tair gwialen i gyd – gwialen bluen ysgafn i ddal brithyll, gwialen i'w defnyddio gyda phry genwair a gellir ei defnyddio hefyd i daflu troellwr. Fe'i defnyddiais i ddal brithyll môr un tro am nad oedd gennyf wialen iawn at y perwyl hwnnw ar y pryd. Japanî yw ei gwneuthuriad ac mae hi gen i hyd heddiw ond fod y blwch taclus oedd yn ei dal wedi mynd i ebargofiant.

Un noson telais hanner coron i Mrs Jones Tŷ-ddôl am yr hawl i fynd i bysgota ar ei hochr hi am nad oeddwn yn perthyn i'r clwb lleol ar y pryd. Arferai tri chyfaill gyd-bysgota â mi i lawr yn yr Allt Goch yn aml. Roedden nhw am i mi ddechrau pysgota pluen yn lle pysgota cynrhon a phry genwair o hyd ac fe fyddai gen i fwy o obaith dal rhywbeth ar ôl iddi dywyllu wrth bysgota pluen. A dyna'n union wnes i ar y noson arbennig hon. Cyrhaeddais yn llawer cynt na'r tri arall er mwyn i mi gael gweld y llyn yn iawn. Dewisais y lle gorau i daflu pluen heb iddi fynd yn sownd yn unman a heb darfu ar bysgota'r lleill. Roedd pen uchaf y llyn yn fy siwtio'n reit dda am na fyddai'n rhaid i mi weithio llawer ar y lein, dim ond ei thaflu allan rhyw bedair llath, gadael iddi nofio i lawr am ryw chwe llath ac yna'i dychwelyd yn ôl cyn ail daflu ar draws. Gosodais y wialen ar garreg a disgwyl am fy nghyfeillion. Cyrhaeddodd y tri ychydig cyn iddi dywyllu a dyma ddechrau arni'n syth.

'Ble mae dy wialen di?'

'Yn fan'na.'

'Be, honna? O'n i'n meddwl mai pric wedi disgyn oddi ar y goeden oedd honna.'

'Y pric yma fydd yn tynnu'r unig sgodyn o fa'ma heno, mêts.'

'Ha ha' fawr a thynnu coes wedyn. Yna dechreuodd pob un ohonom bysgota o ddifrif a minnau'n meddwl fod y tynnu coes wedi darfod. Ond na, chefais i ddim deg munud o lonydd cyn i'r cwestiwn cyntaf fy nharo.

'Wyt ti wedi dal eto? Does 'na 'run sgodyn yn y llyn sy'n ddigon bach i'r pric pluan yna sydd gen ti!'

Ymhen ryw hanner awr teimlais rywbeth yn tynnu'n ysgafn ar y lein a thybiais mai deilen oedd yno. Rhoddais blwc er mwyn plannu'r bach i mewn rhag ofn mai pysgodyn oedd yno.

'Mae o wedi dal un,' meddai Goronwy wrth fy ochr.

'Naddo,' meddwn innau. 'Does dim pwysa' i'w glywed o gwbl.'

Ond roedd Goronwy yn yr afon efo'i rwyd yn barod. Gwnaeth stumiau fel petai'n rhwydo pysgodyn go fawr. 'Dew hogia, dowch yma. Mae o wedi cael un da.'

Closiodd pawb o'm cwmpas er mwyn dechrau tynnu coes unwaith eto. Estynnodd Goronwy ei rwyd tuag ataf a minnau'n dweud wrtho am beidio bod mor wirion, ond mynnodd fy mod yn rhoi fy llaw yn y rhwyd. Gwnes innau hynny'n ddigon gwirion a chael braw o deimlo cefn pysgodyn mawr gwlyb yng ngwaelod y rhwyd.

'Pwy sydd wedi dal hwn?' holais gan feddwl fod un o'r lleill wedi ei ddal a'i roi yn y rhwyd er mwyn cael rhagor o hwyl am fy mhen. Ond wedi cynnau'r golau ac agor ceg y brithyll môr pedwar pwys fe welais mai fy mhluen i oedd yn ei geg, nid pluen rhywun arall. A wyddoch chi be? Hwnnw oedd yr unig bysgodyn ddaeth allan o Lyn Cam y noson honno!

'Chi â'ch gêr canpunt. Yr hen bric coeden oedd y gora' heno yntê?' Do, buom yn ffrindiau am flynyddoedd a bu llawer sôn am y pric pluen. Cafodd un o'm cyfeillion ymadael â'r dwthwn hwn yn hapus iawn. Bu farw ar lan yr afon i lawr yn y teidal, yn ymyl yr Allt Goch, ei hoff lyn.

'My fishing box'
Teal Blue and Silver
Invicta
Wil Bach
Dunkeld
Teal Blue and Silver variant
'No Name'

Llifa'r afon yn ei blaen trwy goed a dryslwyn hyd at bont ffordd osgoi Llanystumdwy – ffordd yr A497 o Borthmadog am Bwllheli – ond fe af i i fyny'r cae o Gae Criw tuag at ffordd Aberkin. Ar ôl cyrraedd y ffordd byddaf yn tramwyo ar lwybr cyhoeddus sy'n arwain o bentref Llanystumdwy i lawr i lan y môr nid nepell o geg yr afon ar ochr Cricieth. Bydd llawer yn cerdded ar hyd y llwybr hwn yn ystod yr haf er mwyn mynd i lan y môr.

Pan fyddaf yn mynd i bysgota caf ganiatâd ffermwr Aberkin i adael fy nghar ar y ffordd. Dda gen i mo'r enw hwn na'r ffordd y caiff ei sillafu. Gwell gennyf yr hen enw, sef Abercain, am mai ar ôl yr afon sy'n terfynu ag Aberkin ac Ynysgain y daw'r enw Abercain yn ôl y Dr Colin A. Gresham yn ei gyfrol *Eifionydd*.

Cerddaf ymlaen at y briffordd yn awr ac aros am ennyd ar ochr y ffordd. I'r dde fe aiff y ffordd am Gricieth a Phorthmadog ac i'r chwith fe aiffi am benrhyn Llŷn. Petaech yn troi i gyfeiriad Llŷn ac yn cerdded am ychydig fe fyddech yn gweld tro i'r dde a'r ffordd yn arwain i fyny gallt. Ar ôl troi i'r chwith ar ben yr allt ac yna i'r chwith eto fe fyddech yn cyrraedd Plas Talhenbont. Uwchben hwnnw, ym mhen uchaf y coed ac yn nes am Lanystumdwy, mae Plas y Gwynfryn.

Mae Plas y Gwynfryn yn adfail erbyn heddiw oherwydd y tân a'i difrododd pan oedd yn westy moethus. Os hoffech ddarllen ychwaneg am yr hen blas mae'r hanes i gyd yn *Eifionydd*. Arferai

Dr Colin A. Gresham, awdur y gyfrol werthfawr hon, fod yn gyflogwr i mi pan oeddwn yn gweini ar ei fferm, Penystumllyn yng Nghricieth. Yno'r oedd yn byw pan ysgrifennodd y llyfr difyr hwn am hanes yr ardal. Deg punt oedd ei bris pan y'i cyhoeddwyd yn 1969 ond gan fod cyflog gwas fferm mor isel a minnau newydd briodi fedrwn i mo'i fforddio. Erbyn heddiw mae'r llyfr yn werth dros ganpunt os medrwch gael gafael arno. Arferai'r awdur fod yn aelod o Orsedd yr Eisteddfod Genedlaethol a mynychai'r Orsedd yn aml yn ei wisg wen.

Rwyf wedi crwydro braidd yn bell o'r afon erbyn hyn, felly yn ôl â mi i ymyl y ffordd fawr ac at giât Aberkin. Gyferbyn â mi yr ochr draw i'r ffordd mae giât bren fechan. Af drwy hon a cherdded ar hyd ffordd fach gul am y pentref. Hen ffordd Aberkin oedd hon cyn adeiladu'r ffordd osgoi. Llwybr troed ydyw heddiw. Rhyngof a'r afon ar y chwith mae safle'r hen felin gyntaf y dof ati o'r pen yma. Arferai fod yn ganolfan i ardal eang pan oedd yn malu blawd yn yr hen oes. Y Felin Fach oedd ei henw. Deuai'r dŵr i mewn oddi tan yr olwyn yn hytrach na thros ei phen am nad oedd digon o godiad yn y tir yn uwch i fyny'r afon i ddod â'r dŵr dros yr olwyn. Does dim o'r hen felin i'w gweld erbyn heddiw a 'throdd y merlyn olaf adref'. Nid oes dim ond tai a chaffi o'r enw Caffi Dwyfor yma bellach.

Rwyf wedi cyrraedd y bont gerrig dau fwa gyntaf dros yr afon – hon oedd yn cludo trafnidiaeth yn ôl a blaen drwy'r pentref cyn adeiladu'r ffordd osgoi. Mae miloedd ar filoedd o geir wedi mynd drosti a channoedd o droliau hefyd rwy'n siŵr cyn dyddiau'r ceir. Cofiaf weld rhes hir o geir o'r fan yma i ben draw'r Cob ym Mhorthmadog sydd oddeutu wyth milltir i ffwrdd yn ystod yr haf. Ymwelwyr yn mynd a dod o Butlins ac o ben draw Llŷn ar ddydd Sadwrn oedd y rhain. Yng nghornel uchaf y bont gwelir olion capel Methodistaidd a ddifrodwyd gan dân yn 1936.

Dyma fi yn awr yn y pentref enwog lle maged un o fawrion ein gwlad, David Lloyd George a fu'n Brif Weinidog Prydain yn oes y *Suffragettes.* Bu bron i rai ohonynt foddi yn afon Dwyfor wrth brotestio pan agorwyd neuadd y pentref gan y Prif Weinidog. Ceir yr hanes yn *Nhrafodion Hanes Sir Gaernarfon 1985* (Cyfrol 46, tud. 121) gan Dylan Morris.

Mae Amgueddfa Lloyd George yng nghanol y pentref gyferbyn â thafarn y Plu. Gerllaw mae Highgate lle maged Lloyd George rhwng 1863 ac 1945 ac mae tŷ ei ewythr, Richard Lloyd y crydd, yn amgueddfa fechan i bawb fynd yno i'w gweld.

Sŵn yr Afon yw enw'r tŷ mawr sydd ar y gornel â'i dalcen at y bont ac mae'n dŷ eithaf enwog. Ar un adeg bu yno wasg o'r enw Gwasg y Gaseg dan ofalaeth John Petts a'r cerflunydd enwog Johnna Jones. Daw'r ffenestri sydd yn y talcen sy'n wynebu'r bont o Benyberth lle bu'r ysgol fomio a losgwyd gan Saunders Lewis, Lewis Valentine a D.J. Williams.

Ym Maen y Wern, tŷ yn y rhes a welir ar yr allt oddi wrth Sŵn yr Afon, y maged y gwyddonydd Owen Ellis Roberts a enillodd y Fedal Ryddiaith yn Eisteddfod Genedlaethol Cymru ddwy waith. Ef yw awdur *Hela'r Meicrob, Dirgelwch yr Atom, Gwyddonwyr o Gymry* a *Dr John Dee a meddygon a Gwyddonwyr Eifionydd.*

Af yn ôl at y bont yn awr. Yr ochr bellaf iddi mae Eglwys Sant Ioan. Bu eglwys yma ers y bedwaredd ganrif ar ddeg lle bu Ieuan Brydydd Hir yn gurad yn 1769. Codwyd yr eglwys bresennol yn 1862. Ym mynwent yr eglwys y claddwyd y bardd Owen Gruffydd, Rhos-lan (1643-1730). Y tu draw i'r eglwys mae Ty'n Llan, cartref y diweddar Elis Gwyn Jones, athro ac arlunydd a brawd Wil Sam a fu'n cadw'r garej yn y pentref. Y Crown oedd enw'r garej pan oedd yn agored a'r drws nesaf mae ysgol y pentref. Am gyfnod byr bu David Thomas (Dafydd Ddu Eryri, 1759-1822) yn dysgu'r plant yn yr ysgol hon.

Dyma rai enwogion eraill sydd wedi bod yn yr ysgol fechan – y Parch. Robin Williams (R.O.G.W.), y Parch. J. R. Owen (Ohio), y gwyddonydd Owen Ellis Roberts, Elis Gwyn Jones a'i frawd Wil Sam a'r Athro Feddyg Robert Owen Lerpwl, i enwi dim ond rhai.

Gerllaw'r eglwys fe welwch ffordd fechan yn arwain i fyny'r allt. Ar y chwith ar yr allt honno y mae fferm gwningod ac anifeiliaid dof y Ranch lle mae llawer iawn o blant yn mynd yn ystod yr haf i anwesu a bwydo'r creaduriaid. Yma hefyd mae bwyty poblogaidd a thu draw i hwnnw mae pentref o gabanau pren. Mae yma ganolfan ferlota hefyd.

Af yn ôl at y bont ac edrych dros yr ochr isaf lle gwelaf lyn go lew o faint – Llyn Dan Capel. Mae'n werth bod ar y bont pan fydd lli yn yr afon er mwyn gweld y pysgod yn mynd i fyny dros y ris fechan sydd yn y dŵr. Dydi hi fawr o beth ond mae'r pysgod yn gorfod neidio drosti i'r dŵr gwyn ac yn aml byddant yn syrthio'n ôl oherwydd cryfder y lli ac yn gorfod ceisio eilwaith cyn llwyddo. Dyma'r lle olaf y gwelir y pysgod oherwydd unwaith y maen nhw wedi mynd o dan y bont welwch chwi mohonyn nhw wedyn nes y dewch i Ddolbenmaen gan mor wyllt yw'r afon. Yr ochr isaf i'r llyn hwn mae Llyn Ty'n Ddôl, llyn bychan di-nod. Yr ochr uchaf i'r bont adeiladwyd pont droed i sicrhau diogelwch i gerddwyr pan oedd y traffig yn drwm a'r bont mor gul. Roedd llawer o blant yn gorfod mynd drosti i'r ysgol hefyd.

Gadawaf y bont yn awr a cherdded i fyny heibio i res dai Maen y Wern ar ochr dde'r afon hyd nes y dof at ben y rhes. Dyma lle'r awgrymais y dylech adael eich car pan oeddwn i'n cerdded y tir preifat i fyny glan yr afon. Fe welwch arwydd llwybr cyhoeddus yma ac fe awn ar ei hyd yn y man, ond yn gyntaf gadewch i ni aros i weld bedd Lloyd George. Cynlluniwyd y beddrod gan y diweddar Clough Williams-Ellis a gynlluniodd Portmeirion. Mae'r geiriau hyn wedi eu naddu ar y garreg uwchben y giât:

Bedd
David Lloyd George
(Iarll Dwyfor)

Y maen garw, a maen ei goron, – yw bedd
Gŵr i'w bobol fu'n wron;
Dyfrliw hardd yw Dwyfor lon
Anwesu'r bedd yn gyson.

W.R.P. George

Mae'r llwybr yr ydym ni arno yn awr yn un o'r llwybrau brafiaf a droediais i erioed. Cewch gerdded drwy goedwig braf gan wrando ar sŵn yr afon yn sibrwd ei ffordd tua'r môr, neu ar adegau yn rhuo yn eich clustiau fel na allwch glywed dim arall! Mae cerdded y llwybr yn wefr bob amser gyda'r naws yn swynol pan fo'r afon yn dawel ac yn iasol ryfedd pan fydd mewn lli.

Mae'r goedlan yma yn un go hen ac yn lle gwerth chweil i fod ynddo yn y gwanwyn a'r haf, ond peidiwch da chi â'i hanwybyddu hyd yn oed yn yr hydref a'r gaeaf gan fod natur yn dal yn effro ynddi bryd hynny ac yn werth ei weld.

Yn y gwanwyn cynnar fe glywir cân yr adar yn llenwi'r lle. Robin goch, titw tomos, titw benddu, titw mawr, deryn du, bronfraith, dryw bach, ji-binc a llawer o rai eraill. Yn ddiweddarach yn y gwanwyn bydd yr adar ymfudol yn eu holau i ychwanegu at y gân. O gadw llygaid agored gellir gweld y gnocell fraith fwyaf a'r lleiaf hefyd ac os na welwch chi nhw fe'u clywch yn trawo'u pigau yn erbyn rhyw foncyff wrth dyllu nyth neu chwilio am bryfetach o dan risgl y coed.

Does dim mor ddifyr ag eistedd ar lan yr afon ar ddiwrnod braf a chynnes yn y gwanwyn i wrando ar yr adar a su yr afon yn eich clustiau. Hawdd iawn yw dechrau pendwmpian a mynd i gysgu!

Yn gynnar iawn yn y gwanwyn mae'n gynhesach yma nag yn unman arall yn yr ardal ac felly bydd llawer o planhigion yn dechrau ymwthio o'r ddaear. Ar lawr y goedwig y gwelwch y tyfiant blynyddol cyntaf o flodau'r gwynt, suran y coed a briallu. Bydd rhedyn yn dechrau ymwthio o'r ddaear a charped o fwtsias y gog yn dod i flodau. Wedi cawod o law a'r blodau yn eu llawn dwf mae'r arogl melys yn llenwi eich ffroenau.

Sylwch ar y cerrig o gwmpas eich traed ac fe welwch lawer o wahanol fathau ar gen a mwsoglau, gyda chymaint ar ambell i garreg fel na welir y garreg ei hun.

Codwch ambell foncyff yn araf ac efallai y gwelwch lygoden y coed neu lygoden y maes, ond cofiwch roi'r boncyff yn ei ôl yn araf rhag niweidio dim sydd oddi tano. Ar y llawr o dan y dail a'r mwsog mae sawl math o bryfetach – o chwilod i wrachen ludw, neidr gantroed a llawer o ymlusgiaid eraill sydd o fudd mawr i'r goedlan, yn cynorthwyo'r dail a'r phlanhigion i bydru a rhoi eu maeth yn ôl i'r ddaear ar gyfer y tymor nesaf. Mae'r pryfetach hyn yn fwyd i anifeiliaid eraill megis y llwynog a'r pry llwyd sy'n hela'u tamaid yn ystod y nos. Dyma'r unig adeg y gellir eu gweld ond mae'n rhaid i chi fod yn dawel dros ben a gwylio o ba gyfeiriad y chwytha'r gwynt.

Yn rhyfedd iawn nid wyf wedi dod ar draws yr un neidr yn y

goedlan yma ond maent yma yn rhywle yn sicr i chi.

Yn ystod oriau'r nos y tylluanod sy'n arglwyddiaethu – y dylluan frech leiaf, y dylluan frech fwyaf yn ogystal â'r dylluan wen sy'n ddigon prin yn ein hardaloedd ni heddiw oherwydd prinder lle iddynt fyw. Mae hen ysguboriau wedi eu dymchwel, toeau hen adeiladau wedi disgyn ac felly mae'r mannau lle gallant nythu yn brin iawn.

Yn y goedlan mae'r coed yn amrywio o lwyni isel i goed uchel iawn o bob math. Dyna i chwi goed cyll, drain duon, drain gwynion, gwyddfid, eiddew ac ambell ysgawen sydd fwy ar y cyrion nag i mewn yn y goedlan ei hun. Ewch ymhellach draw ac fe welwch dderw, ffawydd, ynn a choed pîn. Mae'r rhain yn cysgodi llawr y goedlan ac yn bwydo'r planhigion bychain sy'n tyfu wrth eu gwreiddiau.

Fe dyf y rhain i gyd ar dir stad y Trefan, er nad yw'n stad erbyn heddiw. Fe'i gwerthwyd yn rhannau llai ers blynyddoedd bellach. Pan oedd yn cael ei gwerthu fe gynigiwyd y goedlan, yr hawl pysgota a'r gwesty, sef yr hen blasty, i'r clwb pysgota lleol am ugain mil o bunnoedd. Yn y pumdegau y digwyddodd hyn os cofiaf yn iawn, ond nid oedd gan aelodau'r clwb ddigon o blwc ar y pryd i fentro cymaint o arian. Serch hynny fe brynwyd yr hawl pysgota ar ei ben ei hun am ei fod yn lle mor ddelfrydol i bysgota gwyllt – gwyllt yn yr ystyr fod yn rhaid i chi fod yn dipyn o giamstar i fedru chwipio pluen rhwng y coed sydd ar y lan, a gwyllt am nad oes llawer o le i chi fedru mynd ar ôl pysgodyn go fawr os daliwch un oherwydd bod y pyllau'n llai o lawer i fyny yma nag i lawr yn y gwaelodion. Ni ddaw llawer yma i bysgota am na allant gastio pluen heb aceri o le y tu ôl iddynt, neu am fod arnynt ormod o ofn tywyllwch y goedlan a'i chysgodion. Teimlaf yn gryf iawn y dylai pob afon fod yn eiddo i glybiau lleol yn unig er mwyn sicrhau gwell gwarchodaeth ac er mwyn i'r bobl leol gael mynd i bysgota fel y mynnont yn hytrach na bod busnesau mawr yn eu meddiannu am brisiau na all y clybiau lleol eu fforddio. Byddai gwell trefn ar ein pysgodfeydd heddiw petai hynny'n digwydd, rwy'n siŵr.

Mae'r afon yn dipyn mwy gwyllt o'r bont i fyny ond mae ôl llaw dyn ar ei rhan isaf o hyd gan mai pyllau wedi eu gwneud sydd yma – mannau delfrydol i bysgod orffwys ar eu ffordd i fyny pan fo lli yn yr afon. Dyma enwau'r pyllau o'r giât fochyn gyntaf hyd at yr ail giât fochyn ar y llwybr: Glan Gwyndy, Llyn Isaf, Llyn 'Ronnan, Llyn Merlyn, Llyn Cerrig a Llyn Deio Preis. Mae cerrig yr afon yn dipyn mwy yma na'r cerrig sy'n is i lawr ac felly y bydd hi am rai milltiroedd. Cerrig a gariwyd i lawr o gyffiniau Cwm Pennant yn Oes yr Iâ yw'r rhain mae'n debyg. Cawsant eu gwasgaru yma ac acw gan y rhewlifiant dros y blynyddoedd.

Awn yn ein blaenau drwy'r ail giât fochyn lle mae'r goedlan yn dechrau cau amdanom. Rhwng y giât hon a'r giât nesaf gwelir y pyllau canlynol yn yr afon: Penmaenmawr (gydag anferth o graig ar lan y pwll), Felin Llan a Noflyn. Llynnoedd naturiol sydd o'r ail giât ymlaen. Rhyw ddau gan llath heibio i'r giât mae olion hen adeilad Melin y Llan. Does fawr ddim yn ysgrifenedig amdani ond gwyddys ei bod yn felin y tywysog yn rhyw oes. Hyd heddiw gellir gweld y cafn a gariai'r dŵr i'r felin – hon hefyd fel yr un yn y pentref gyda'i dŵr yn dod i mewn o dan yr olwyn yn hytrach na thros ei phen. Mae'r rhyd mewn cyflwr da iawn o hyd o ystyried yr holl ddŵr sydd wedi llifo drosti gydol y blynyddoedd. Mae'r cerrig yn dal yn gadarn a gobeithio mai felly yr erys pethau am flynyddoedd i ddod ond iddynt gael llonydd.

Ni ŵyr neb o ble y daeth yr enw Noflyn ar y llyn hir sydd yr ochr uchaf i'r felin, ond mae'n lle da iawn i bysgota yn y nos.

Down yn awr at y drydedd giât fochyn. Pwll Berw yw'r llyn nesaf y down ar ei draws, gyda'r rhaeadr cyntaf ar daith yr afon. Mae sôn fod ysbryd yn dangos ei hun i ambell bysgotwr ar lan y llyn hwn. Un gyda'r nos gwelwyd ysbryd yn sefyll ar y graig wrth ochr y rhaeadr ac yn pysgota. Gwisgai glôs pen-glin a siaced o'r un defnydd ac roedd het am ei ben. Roedd dau bysgotwr yn pysgota'r pwll, un bob ochr i'r afon. Gofynnodd un ohonynt i'r 'ysbryd' sut oedd y sgota'n mynd ond ni chafodd ateb. Diflannodd yr ysbryd ymhen eiliadau fel niwl i dywyllwch y nos. Nid oes cofnod i neb arall ei weld ar ôl hynny am wn i. Tybed ai ymgais oedd hyn gan y ddau bysgotwr i geisio cadw Pwll Berw iddynt hwy eu hunain rhag i neb arall fynd yno i bysgota nos? Pwy a ŵyr!

Cofiaf innau fod yn pysgota ym Mhwll Berw un noson. Eisteddwn hanner y ffordd i lawr y pwll er mwyn cael pysgota ei waelod yn y gobaith o ddal pysgodyn ar ei ffordd i mewn i'r pwll. Wedi i mi ddechrau pysgota fe glywn rywbeth yn symud yn y coed y tu ôl i mi. Meddyliais mai anifeiliaid y nos oedd yno'n hel eu tamaid ond ymhen ychydig teimlais fod rhywun neu rywbeth yn fy ngwylio. Roeddwn yn eistedd ar garreg rhag ofn imi gastio i'r coed y tu ôl imi, felly rhoddais hanner tro ar fy eistedd a gweld rhywbeth gwyn rhwng dwy goeden. Fferrais yn fy unfan am funud cyn troi yn iawn a gweld mai ceffyl gwyn Trefan oedd yno'n fy ngwylio. Wyddwn i ddim fod ceffylau'n dod i'r rhan yma o'r goedwig. Hwnnw oedd y peth agosaf i ysbryd a welais i ym Mhwll Berw erioed.

Llyn Glas sydd nesaf. Rhed yr afon ar hyd wyneb craig noeth yma gan roi gwawr las i'r dŵr wrth iddo lifo'n esmwyth drosti. Mae'n lle iawn am eog pan fydd lli ac mae sawl un wedi cael ei ddal yn y llyn hwn. Ym mhen uchaf y llyn, rhyw bymtheg troedfedd uwchben wyneb y dŵr, mae pont gadarn iawn i bysgotwyr fynd a dod o un ochr yr afon i'r llall. Aeth y bont oedd yma cyn hon i ganlyn llifogydd mawr 1986.

Mae codiad tir go serth yr ochr draw. Ar ochr yr afon mae'r wyneb yn graig noeth bron ac eithrio'r mân dyfiant megis mwsoglau ac ambell i redynen sydd ar ei hyd. Allt Derwydden neu Allt y Widden yw'r enw ar y lle yma a llifa'r afon yn ei erbyn. Ychydig uwchlaw'r allt mae dwy ynys fechan. Mae'r ynys agosaf at y llwybr yn eiddo i Jan Morris, Trefan ac yno y mae hi am gael ei chladdu felly nid oes neb yn mynd ar yr ynys honno. Ond defnyddir yr ynys bellaf i bysgota oddi arni am fod yno lyn dwfn iawn sy'n un go dda am bysgodyn ar adegau.

Gwelir bronwen y dŵr yn hedfan yn ôl ac ymlaen yn aml yn y parthau hyn wrth iddi chwilio am y mannau gorau i fwydo. Mae'n nythu ar wyneb y graig yn agos iawn i'r dŵr wrth yr ynys. Mae'r rhain yn greaduriaid go brin ac ni chânt eu gweld ond mewn afonydd glân eu dŵr. Maent hefyd angen tua milltir neu ddwy o afon iddyn nhw eu hunain felly nid oes digon o le i lawer ohonynt ar afon fer.

Awn drwy giât fochyn arall lle gwelwn lecyn di-goed ar lan yr afon. Dyma i chi le braf i orffwys pan fydd yr haul yn tywynnu yn yr haf, a hynny ar lan Llyn Meirch. Gorffwyswn yn y fan yma am ennyd er mwyn i mi gael rhannu ychydig o hanes yr hyn sydd yr ochr bellaf i'r afon o'r fan yma i lawr. Mae cerdded drwy'r coed yn gwneud i rywun anghofio fod byd y tu draw i afon Dwyfor.

Dros yr afon gyferbyn â ni mae fferm fechan Dynannau. I lawr wedyn mae Tyddyn Madog Goch a thu draw i'r eglwys mae Gwyndy. Dyna'r ffermydd sy'n terfynu â'r afon. Ar y dde a thu ôl i'r coed mae plas Trefan (sy'n westy erbyn heddiw) a'r stablau sydd wedi eu troi'n dŷ. Yno y triga Jan Morris, llenor enwog iawn ac awdur *The Venetian Empire* a *The Oxford Book of Oxford*, i enwi dim ond dau gyhoeddiad o'i heiddo. Mab i Jan Morris yw Twm Morys, bardd hwyliog ac aelod o dîm Gweddill y Byd ar Dalwrn y Beirdd. Ef yw canwr a thelynor y grŵp gwerin Bob Delyn a'r Ebillion.

Ymhellach ymlaen mae'r tir yn codi. Cerddwn ninnau uwchlaw'r afon a thrwy ragor o goed. Wrth gerdded y ffordd hon gyda'r nos efallai y gwelwch y pry llwyd yn cychwyn allan i chwilio am ei damaid.

Rhwng y giât fochyn olaf inni ddod drwyddi a'r gamfa nesaf mae'r llynnoedd canlynol: Llyn Dyfn, Llyn Garreg Neidr, Pwll Graig ac Under Hill. Ar ôl cyrraedd pen uchaf y codiad tir awn ar i lawr at y gamfa. Erbyn cyrraedd hon rydym yn ôl yn wastad â'r afon unwaith eto ac o'r gamfa hyd at bont Rhyd y Benllig fe welwch y llynnoedd canlynol: Llyn Gro Mân, Mushroom Rock, Pwll Dyfrgi, Pwll Rees, Pwll Dyfn 'Rynys, Llyn dan Pont Llew (heb bont yno bellach) a Llyn Rhyd y Benllig. Ar lan y llyn olaf roedd hen felin sydd erbyn heddiw'n dŷ moethus. Melin Cefn Treflaeth oedd enw'r felin gyntaf a godwyd yma ond erbyn heddiw Melin Rhyd y Benllig yw enw pawb arni. Codwyd y felin gan Zaccheus Hughes, Nanhoron Isa, Llŷn a briododd ferch Trefan yn 1777. Addaswyd y felin a'i gwneud yn fwy yn y bedwaredd ganrif ar bymtheg. Mae'r rhyd a gariai'r dŵr i'r olwyn fwy na milltir i fyny'r afon. Llyn Gwragedd yw enw'r lle hwnnw heddiw. Agorwyd y ffos gyda chaib a rhaw am nad oedd Jac Codi Baw ar gael yr oes honno.

O'r golwg yn y coed a'r drysi yr ochr arall i'r bont wrth edrych i fyny'r afon mae olion hen faddonau Rhufeinig, ond does fawr iawn ar ôl yno bellach. Maent ar dir preifat felly nid oes modd i neb fynd yno i'w gweld heb ganiatâd perchennog y bwthyn bach sydd i fyny'r ffordd i gyfeiriad Cricieth. Tŷ haf ydyw bellach ond mae'r perchennog yno'n aml.

Mae'r rhan olaf hon y daethom ar ei hyd yn werth ei gweld yn ystod y gaeaf, gydag eirlysiau yn garped o dan eich traed.

Down yn awr at ben draw'r llwybr lle gwelwn wal gerrig o'n blaen. Trown i'r dde a cherdded gyda'r wal nes dod at ddôr. Awn drwyddi i ffordd breifat Trefan, troi i'r chwith eto a cherdded at y ffordd fawr sy'n arwain o Gricieth am Ros-lan a Bryncir ac ymlaen am Gaernarfon. Os y mynnwch gallwch fynd i lawr y ffordd am fferm Trefan a cherdded ar hyd y llwybr drwy'r caeau yn ôl i'r ffordd gefn o Gricieth i Lanystumdwy lle mae bedd Lloyd George. Ni chymer y gylchdaith fwy na rhyw ddwy neu dair awr o gerdded hamddenol, braf. A dyna ichi flas o ran gyntaf taith afon Dwyfor o lan y môr i gyffiniau Llyn Meirch.

Rhan 2

O Lyn Meirch i Bont Dolbenmaen

Mae mwy nag un dewis gan y sawl sydd am barhau â'r daith ar hyd afon Dwyfor. I'r rhai sydd â char gallwch fynd yn ôl i Lanystumdwy a dilyn y ffordd fechan sy'n mynd heibio i'r eglwys ac i fyny allt y Ranch. Yna trowch i'r dde a dal i fynd yn eich blaen am Ros-lan. Wedi mynd heibio i'r pentref mae'r ffordd yn troi i'r dde i ffordd gul arall. Ffordd Tŷ Cerrig yw hon. Ewch ar ei hyd am ryw filltir nes dod yn ôl at lan yr afon ger y domen byd ar y chwith. I'r sawl sy'n dymuno dal i gerdded gyda'r afon fe fydd yn rhaid i chithau wyro oddi wrthi am sbel am nad oes llwybr cyhoeddus yn dilyn y lan yn union. Mae dwy ffordd i chi ddewis rhyngddynt yn awr. Gallwch fynd i'r dde am Gricieth neu i'r chwith am Ros-lan. Wrth fynd am Gricieth cewch gerdded glan yr afon eto am ychydig, ond wrth fynd y ffordd arall byddwch yn dilyn llwybr cyhoeddus drwy Gefn Isaf sy'n eich arwain am Ros-lan. Rhaid cerdded wedyn ar hyd ffordd Tŷ Cerrig a dod yn ôl at yr afon gerllaw'r domen byd lle cedwir sbwriel cyhoeddus cyn ei gludo i chwarel Cilgwyn uwchben Pen-y-groes, Arfon.

Wrth ddilyn y llwybr hwn fe ddewch ar draws cromlech fawr iawn yn y cae y tu ôl i dai cyngor Rhos-lan. Mae'n werth ei gweld, yn un o'r ychydig rai sydd heb gael ei difetha mewn unrhyw ffordd oni bai am drin y tir o'i chwmpas.

Mae pentref bychan Rhos-lan wedi magu nifer helaeth o enwogion ein gwlad. Yma y triga'r awdur a'r dramodydd W.S. Jones (Wil Sam) yn ogystal â'r Parchedig R.O.G. Williams (Robin Williams, Triawd y Coleg). Yma y ganed y diweddar Guto Roberts ('Fo' yn y gyfres deledu hynod boblogaidd 'Fo a Fe') a bu'n byw yn y pentref am ran helaethaf ei oes. Yng nghyffiniau Rhos-lan y maged Ifas y Tryc, sef yr actor amryddawn Stewart Jones. Bu Dilys Cadwaladr, bardd coronog Eisteddfod Genedlaethol y Rhyl, 1953 yn byw yn Suntur, a bu Harri Gwynn a'i wraig Dr Eirwen Gwyn yn byw yn Nhyddyn Cwcall. Yn nes at bont Rhyd y Benllig y maged y canwr Dafydd Edwyn Jones, sydd erbyn hyn yn briod ac yn gogydd gwerth ei halen yn ei westy ei hun, sef gwesty'r Ranch yn Llanystumdwy. Mae rhagor o enwogion wedi eu magu yn y rhan arbennig hon o Eifionydd, ond rhoddaf daw ar sôn amdanynt yn awr gan fod amryw o lyfrau y gellir troi atynt i ddarllen eu hanes. Mae'n bryd mynd yn ôl at yr afon.

Ffordd arall o gerdded glan yr afon yw troi am Gricieth a cherdded i fyny'r ffordd am ychydig nes y gwelwch arwydd Tyddyn Cethin a'i faes carafanau. Mae arwyddbost yn eich arwain at lwybr cyhoeddus am Fwlch Derwin. Dilynwch y llwybr hwn ac fe aiff â chi'n ôl at yr afon uwchlaw Tyddyn Cethin. Dof gyda chi y ffordd honno fel na fydd yn rhaid imi ymwthio drwy'r coed sydd ar hyd yr afon o'r bont i fyny heibio i Dyddyn Cethin. Fferm fechan oedd Tyddyn Cethin ar un adeg ond erbyn heddiw mae'n faes carafanau a phebyll i ymwelwyr. Gosodir gweddill y tir i'w bori. Mae'n lle bach digon del a thaclus os mai'r math hwn o wyliau sydd at eich dant.

Ar ôl cerdded ar hyd dau o gaeau Tyddyn Cethin fe ddown yn ôl at yr afon. Yma fe welwn glamp o graig fawr ar ei glan a honno'n debyg i lew yn gorwedd ac yn edrych dros yr afon am Gefn Isaf. Mae llawer un wedi bod ar ben y graig hon gan ei weld ei hun yn foi yn eistedd ar gefn llew! Fe oedaf yma'n awr er mwyn enwi'r pyllau a'r llynnoedd yr ydym wedi mynd heibio iddynt ond heb eu gweld oherwydd y trwch o goed derw, ffawydd, cyll, helyg ac ati sydd ar lan yr afon am tua hanner milltir o bont Rhyd y Benllig at yma. Dyma'r pyllau neu'r llynnoedd: Llyn Golchi Defaid, Llyn Bach 'Rynys, Llyn Bach, Llyn Tyddyn Cethin, Tyddyn Felin Isaf a Llyn Carreg Llew (sydd ger y graig fawr siâp llew ar lan yr afon).

Yn ddieithriad bron fe fyddaf yn teimlo rhyddhad wrth gyrraedd y fan yma, fel petai baich yn cael ei godi oddi ar fy ysgwyddau wrth imi ddod allan o'r coed sy'n tyfu yr holl ffordd i fyny'r afon. Wedi bod o dan gysgod y coed cyhyd, mor braf yw cael dod allan ohonyn nhw, er tlysed ydynt.

Byddwn yn cerdded ar dir fferm Cefn Isaf yn awr am gyfnod. Mae'n dir gwastad, da ac yn agored iawn, bron heb gysgod o gwbl i'r anifeiliaid heblaw am y coed yn y winllan islaw. Fferm ddefaid a da byw yw Cefn Isaf ac mae ansawdd y tir yn cael ei adlewyrchu yn yr anifeiliaid, sydd â graen da dros ben arnynt.

Wrth edrych i fyny'r afon yn awr mae'r wlad sy'n ymestyn am

filltiroedd o'n blaenau wedi newid yn arw. Dros yr afon tua'r gogledd daw Craig y Garn a'r Graig Lwyd i'r golwg ac yna Gwm Pennant. Yr ochr chwith i Graig y Garn gwelwn Graig Goch hefyd ac fe welir mast teledu Nebo yn y pellter. Ar yr ochr chwith gwelwn lwyni eithin melyn, llachar ym mhobman. Pan fydd y rhain yn eu blodau ac ar ôl cawod o law fe lanwant eich ffroenau ag arogl hyfryd. Maent yn lle delfrydol i adar bach nythu yn y gwanwyn a'r haf ac i anifeiliaid gwyllt guddio rhag eu gelynion.

I fyny'r afon eto ac fe awn heibio i Lyn Ynys Dyfnallt, Pwll Trowts, Llyn Sarnau a Llyn Felin Uchaf. Roeddwn yn y llyn olaf un noson braf o haf pan ddaeth awydd drosof i roi tro ar fy lein newydd cyn imi ddechrau sgota nos o ddifri. Wedi chwipio gwag yn yr awyr rhyw bedair neu bum gwaith dyma ollwng y bluen gyda'r lan yr ochr bellaf, ac fel yr oedd yn cyffwrdd wyneb y dŵr gwelais andros o gynnwrf ar yr wyneb a theimlais blwc hegr ar y lein. Yn fy nychryn, ac o gael cynnig yn fwy na dim, trewais y sgodyn ond i ffwrdd ag o. Dyma roi cynnig arall arni, rhyw chwe llath yn uwch y tro hwn, ond digwyddodd yr un peth eto. Roedd yn rhaid imi gael gweld beth oedd yn gorwedd yr ochr draw felly i ffwrdd â mi dros y bont droed ac i lawr yn ddistaw bach rhag tarfu ar ddim, ac er mawr syndod imi beth oedd yn gorwedd yn y dŵr yn y fan honno ond dau eog braf a bwysai rhyw ddeuddeg pwys yr un bid siŵr.

Y llyn nesaf yw Llyn Terfyn Cefn Uchaf, sef y terfyn sydd rhwng Cefn Uchaf a Chefn Isaf. Yna down at Lyn Ffatri lle bydd y rhai sy'n cerdded yn gorfod fy ngadael. Bydd gofyn i chi fynd dros y bont droed i fyny at Gefn Ucha, yn ôl ar hyd ffordd Tŷ Cerrig a mynd cyn belled â'r domen byd a'r lle parcio ceir. Yma, ym mhen uchaf y cae ger y bont droed, mae hen adfeilion yr unig felin wlân oedd ar lan afon Dwyfor. Saif olion y felin ar dir Ystumcegid. Does dim ond ychydig gerrig i'w gweld erbyn heddiw ac mae'r coed yn tyfu'n wyllt o gwmpas y lle. Nid fel melin wlân yr adnabyddir hi'n lleol ond fel 'Ffatri'. Mae'n debyg fod tŷ yma hefyd oherwydd gwelir olion gardd yn arwain i lawr at yr afon. Hyd heddiw mae'r coed eirin yn tyfu'n ffrwythlon bob blwyddyn, a rhai da ydi'r eirin hynny hefyd. Mae llawer un wedi llenwi ei bocedi wrth fynd i fyny'r afon i sgota gan boeri'r cerrig i'r afon ar ôl bwyta'r cnawd a chael poen bol ar ôl bwyta mwy nag a ddylai!

Mae melin arall yn uwch i fyny ond ar lan afon Henwy mae honno, sef Melin Wlân Bryncir sy'n dal i weithio heddiw a'i chynnyrch yn cael ei anfon i bedwar ban byd.

Gadewch i mi fynd yn ôl at y bont droed. Eiddo'r cyngor yw hon am ei bod ar lwybr cyhoeddus. Mae'n bont haearn gadarn ond cofiaf ei gweld wedi ei dymchwel i'r afon un tro wedi i un o lifogydd mawr y gaeaf ei gwthio oddi ar y ddau bentan a oedd yn ei dal. Saif oddeutu saith troedfedd uwchlaw'r afon pan fydd yn llifo ar ei hisaf felly fe allwch ddychmygu faint o ddŵr oedd yn llifo ar adeg y lli mwyaf. Mae'n bur debyg mai darn o goeden a gludwyd gyda'r lli a drawodd y bont a'i thaflu i'r cenlli. Nid oedd modd mynd yn agos at lan yr afon yr adeg honno; roedd y dŵr yn gorchuddio'r tir am gryn bellter o'r afon a bu felly am tua deuddydd cyn y mentrodd neb fynd yn agos ati. Honnai rhai fod pysgod yn nofio lle bu caeau a bod ambell un wedi cael ei adael ar ôl ar y tir sych wedi i'r lli ostwng.

Cerddaf yn awr ar ddarn o dir gwlyb gyda glan yr afon, ond yn ffodus mae'r clwb sgota lleol wedi gosod rhodfa goed er mwyn i chi gadw eich traed yn sych. Rwyf erbyn hyn wedi mynd heibio Pwll Eirin a Llyn Neidar. Newydd gael yr enw hwn mae'r llyn olaf a hynny ar ôl i hogyn lleol weld neidr ar y garreg ger y llyn fwy nag unwaith am wn i. Mae Griff wedi ymfudo i Seland Newydd erbyn hyn ac yn pysgota yn y fan honno hefyd mae'n debyg.

Dyma fi'n awr wedi cyrraedd Llyn Gwragedd y gŵyr pob sgotwr gwerth ei halen amdano. Wn i ddim pam mae cymaint yn gwirioni arno ychwaith – 'chefais i fawr o hwyl ynddo erioed – ond gwn yn eitha' da ei fod yn un o lynnoedd gorau afon Dwyfor a bod y pysgod mewn mannau digon diogel rhag y potsiar! Mae'n llyn hir o'i waelod hyd at y tro yn ei ben uchaf lle mae'r llyn pysgota ei hun. Ar y lan yr ochr draw mae craig anferth yn sefyll â'i thraed yn y dŵr. Does dim yr ochr yma i'r afon oherwydd bod y tir yn gwyro'n araf at lan yn dŵr ac felly'n ei gwneud yn hawdd i rywun gerdded a physgota'n ddirwystr ar hyd y lan. Yng ngwaelod y llyn hwn mae'r ffos sy'n cario dŵr i felin Rhyd y Benllig.

O ben isaf Llyn Gwragedd mae'r dorlan yn codi'n serth ac arni goed derw, cyll a ffawydd ac ychydig o goed ynn hefyd. Wrth gerdded i fyny gyda glan yr afon fe red yr ochr serth i lawr i gae ac yn ôl yn wastad â'r afon bron, ac felly y bydd hi wedyn, yr holl ffordd i fyny i Gwm Pennant, heb fod yn fwy na rhyw lathen go lew uwchlaw'r afon.

Mae pen uchaf y llyn, sef y llyn pysgota, yn weddol ddwfn yn ei ganol. Dydw i ddim yn credu i mi weld ei waelod yn iawn erioed. Caiff ei lenwi â dŵr o lyn Allt Goch sydd tua dwy lath uwch ei ben. Llifa'r dŵr drwy gerrig mawrion lle bachwyd sawl eog a brithyll môr ar li, a'r sgotwr wedyn yn cael cryn drafferth i ddod â'r sgodyn i'r rhwyd gan fod pwysau'r lli yn erbyn y pysgod a ddelid ymysg y cerrig.

Fe gwyd y tir wrth inni nesáu at y llyn nesaf, sef Allt Goch. Mae hwn eto yn llyn hir ond yn llawer dyfnach ar ei hyd na Llyn Gwragedd. Gellir dal pysgod bron gydol y tymor yn hwn hefyd, ond yn wahanol i Lyn Gwragedd mae'n llifo'n arafach. Mae dwy ynys yn ei ganol ac fe lifa'r dŵr o'u cwmpas yn araf cyn disgyn i lawr drwy'r cerrig a chyflymu wrth nesáu at Lyn Gwragedd. O'r lan bellaf y byddaf i yn castio pluen gan fod mwy o le a dim coed i fachu ynddynt.

Wedi dod at y llyn fe welwn sut y cafodd ei enw. Mae'r ochr dde iddo wedi codi rhyw ddeg i bymtheg troedfedd erbyn hyn ac wedi ei orchuddio â choed derw, ond nid oes llawer o dyfiant islaw'r coed. Nid y tywyllwch sydd i'w feio am hyn ond yn hytrach y teithio'n ôl ac ymlaen gan ddyn ac anifail. Yn ogystal â hyn bydd llifogydd yn golchi godrau'r allt ac yn sgubo hynny o dyfiant sydd yno. Mae moch daear yn byw yn yr allt a nhw sy'n bennaf gyfrifol am y cochni. Mae'r creadur hwn yn byw yma ers talwm iawn; mae yma andros o ddaear fawr ond nid hon yw'r fwyaf i mi ei gweld o bell ffordd ychwaith. Gan fod y mochyn daear yn greadur glân bydd yn llusgo ei wely allan o'i ddaear yn aml ac yn ei wthio i lawr yr allt tua'r afon. Yna bydd yn hel gwely glân drwy gasglu ychydig o'r tyfiant amrywiol sydd i'w gael o amgylch y lle. Rwyf wedi eistedd yma'n aml gyda'r nos yn gwylio'r creadur hardd yn cyflawni ei orchwylion dyddiol, ond mae'n rhaid bod yn ofalus a thawel iawn neu welwch chi'r un. Rhaid cuddio fel bod yr awel yn chwythu o'r ddaear tuag atoch neu fe glyw yr hen greadur eich arogl ac ni ddaw allan. Bydd unrhyw symudiad bach yn ddigon iddo ffoi yn ôl i'w wely ac fe fydd yn anodd iawn ganddo ddod allan am gryn amser wedyn. Peidiwch byth â chornelu'r un mochyn daear neu fe fyddwch yn sicr o deimlo brath ei ddannedd miniog yn eich coes ac ni ollynga ei afael nes y clyw glec yr asgwrn yn torri. Mae sawl un yn meddwl fod moch daear yn lladd defaid ac ŵyn bach ond chreda i mo hynny fy hun. Mae'n ddigon posib y buasai'n bwyta oen marw neu hen ddafad wedi marw ond ni aiff ar ôl un a'i dal. Chwilod, pryfed genwair, llygod ac ambell i gwningen yw ei hoff fwyd, a ffrwythau hefyd pan fyddant yn eu tymor, yn enwedig mefus. Fe grwydra filltiroedd lawer mewn noson i chwilio am ei damaid, gan gipio cyntun yma ac acw os bydd wedi blino.

Tua un ar ddeg o'r gloch un noson, deuthum ar draws dau fochyn daear yn hela eu pryd bwyd ger Llyn Baffles yn Aber-cain, a chan fod y gwynt yn fy ffafrio llwyddais i sefyll tua dwy lath oddi wrthynt a bûm yn eu gwylio am bron i ddeg munud. Nid yw golwg y mochyn daear yn rhy dda ar y gorau, ond y noson honno nid oedd yn gweld o gwbwl choelia i fyth, gan imi anelu golau'r fflachlamp ar wyneb y ddau heb i'r un ohonynt gynhyrfu. Ar ôl edrych arnynt am sbel a'r ddau yn dod yn nes fe benderfynais eu bod yn llawer rhy agos erbyn hyn, o fewn llathen bron. Codais fy nhroed a'i thrawo i lawr yn drwm yn erbyn y ddaear. Ar amrantiad roedd y ddau yn ei heglu hi o dan y ffens i'r cae nesaf ar andros o wib. Roedd yn deimlad hynod ryfed bod mor agos atynt.

Rwyf erbyn hyn ar dir fferm Ystumcegid. Yr ochr draw i'r afon mae tir fferm Cefn Uchaf. Mae'n dir ffrwythlon ond yn wlyb iawn mewn mannau. Da o beth yw cael tir o'r fath ar lannau ein hafonydd neu ni fyddai fawr o fywyd gwyllt i'w weld o bosib.

Rydym wedi gweld newid mawr yn lli'r afon ers 1952. Codwyd argae yng Nghwmystradllyn er mwyn cronni dŵr i dorri syched pobl Llŷn ac Eifionydd, ac wedi hynny gwelwyd effaith ffermio ar y tir oddi amgylch. Roedd ffermwyr eisiau mwy o dir pori sych ac felly rhoddwyd grantiau iddynt sychu tir gwlyb. Canlyniad hyn oll oedd gostyngiad yn lefel dŵr yr afon. Pan gawn li yn yr afon heddiw ni fydd lefel y lli mawr yn para mwy na diwrnod go lew; ers talwm byddai'n para wythnos bron. Does dim dwywaith nad yw hyn oll wedi dylanwadu ar ein pysgodfeydd hefyd gan mai pwysau'r dŵr sy'n gwneud i bysgod benderfynu a ydynt am redeg y lli ai peidio.

Yna, yn 1982, codwyd mwy o ddŵr o lyn Cwmystradllyn ac yn sgîl hynny codwyd gwaith dŵr newydd yn Nolbenmaen a dechrau tynnu dŵr o'r afon eto fyth. Rwy'n sicr fod lefel yr afon wedi gostwng ddwy droedfedd os nad mwy ers 1952. Soniais fod ffermwyr wedi cael grantiau i sychu tir gwlyb. Oherwydd hyn, a phan fydd yn bwrw glaw yn drwm, bydd y dŵr yn llifo i bibelli tanddaearol ac yna'n syth i'r ffosydd, cyn llifo oddi yno i'r afon fel nad yw'r tir yn dal dim dŵr. Yn sgîl hyn bydd yr holl wrtaith sy'n cael ei daenu ar y tir yn cael ei olchi ymaith gyda'r dŵr. Mae hyn oll yn peri cryn bryder i'r sawl sydd â diddordeb mewn cadwraeth afonydd.

Cerddaf ymlaen ac i fyny drwy ychydig o goed derw sy'n tyfu ar lethr ar lan yr afon. Ar ddiwrnod poeth mae'n braf cael cysgodi o dan eu canghennau, yn enwedig tra byddaf yn gwylio potsiars! Af dros gamfa haearn cyn cyrraedd darn o dir sydd wedi tyfu'n wyllt braidd. Mae angen gofal yma rhag ofn imi faglu dros y gwreiddiau neu suddo i'r donnen. Byddaf wrth fy modd yn gwylio llecynnau fel hyn yma ac acw ar hyd yr afon gan fod ynddynt, ac o'u cwmpas, ddigon o fywyd gwyllt o bob math. Mae'r coed yn bwrw'u canghennau dros yr afon fel petaent yn ceisio cyrraedd y lan yr ochr bellaf acw. Gall hyn beri cryn drafferth i ambell sgotwr ac fe'u clywir yn cwyno'n aml fod eisiau torri'r hen goed i lawr i wneud mwy o le i sgota. 'Wfft iddyn nhw!' ddyweda i. Mae digon o sgotwyr yn llwyddo i sgota yno heb gwyno gair!

O'r Allt Goch i fyny mae rhediad gwyllt i'r afon, drwy gerrig gweddol o faint ac ambell bwll bychan di-enw. Ymhen dim dof at raeadr fechan iawn sef Llyn Uffern Bach ac uwchlaw'r llyn hwnnw mae Llyn Niel Bach – dau lyn da am eog a brithyll môr pan fydd lli yn yr afon. Mae ochr chwith yr afon, sef ochr Cefn Uchaf, yn llawer mwy agored ac o'r ochr honno y bydd y rhan fwyaf yn pysgota gan fod mwy o'r afon ar gael nag sydd ar yr ochr dde.

Dof yn awr at dir fferm Ystumcegid Uchaf. Ar y fferm hon y mae'r unig gors sy'n parhau i ddal dŵr a'i ollwng yn araf i'r afon, a hynny ar ôl glaw trwm wrth gwrs. Mae ambell donnen ar hyd glan yr afon yma ac acw ac ers talwm roedd peryg i rywun fynd o'r golwg ynddynt, ond erbyn hyn mae ffosydd bychan wedi cael eu hagor er mwyn i'r dŵr lifo ohonynt er diogelwch dyn ac anifail.

Yma mae Llyn Dywarchen, Llyn Is Ynys, Llyn Terfyn Tŷ Cerrig, Llyn Ddôl Tŷ Cerrig a Llyn Tŷ Cerrig ei hun. Mae'r rhain oll yn llynnoedd gweddol dda pan fydd lli yn yr afon. Clywais sôn fod sawl eog braf wedi dod allan o Lyn Tŷ Cerrig cyn cael ei hongian mewn simdde fawr. Soniodd cyn-gymydog i mi ei bod yn cofio'i thad yn rhoi pysgod yn y simdde fawr i'w mygu'n iawn a'u cadw dros y gaeaf i fwydo'r teulu. Rwy'n siŵr eu bod yn flasus dros ben.

Rhwng y ffordd a'r afon ar yr ochr chwith i mi'n awr mae fferm fechan Tŷ Cerrig. Yn ôl y gyfrol *Eifionydd* gan y diweddar Colin A. Gresham, Perth Cadwgan oedd enw Tŷ Cerrig ar un adeg, enw hyfryd dros ben yntê? Cam o'r mwyaf oedd newid yr enw yn fy marn i. Yma yn Nhŷ Cerrig y bu'r teulu Povey yn byw. Un aelod o'r teulu yw'r actor a'r dramodydd Michael Povey. Mae Buddug Povey hithau yn actores adnabyddus.

Yma mae ynysoedd bychain yng nghanol yr afon a choed derw, ffawydd, cyll ac onnen ar y lan. Cerddais yma i bysgota un noson dywyll gan fynd yn dawel a di-olau at fy hoff lecyn. Wedi cyrraedd ymlwybrais yn araf bach a thawel i lawr at y dŵr. Yn sydyn clywais y sgrech fwyaf ofnadwy i mi ei chlywed erioed a gwelais rywbeth du mawr yn codi dros fy mhen. Bu bron i mi adael fy wedars yn yr afon a chefais fy hun ar wastad fy nghefn ar y dorlan a'r creadur yn ceisio'i orau glas i ddianc. Yr hen grëyr glas oedd yno'n hanner cysgu mae'n debyg a heb fy nghlywed yn dod. Dau sgodyn pedwar pwys a gefais y noson honno, gyda llaw.

Mae coed helyg yn plethu blith-drafflith drwy'i gilydd mewn ambell le ar lan yr afon yr ochr yma. Yr ochr uchaf i'r ynysoedd mae'r afon yn llifo'n llawer esmwythach gan fod y tir yn wastatach. Dof at Lyn Pont Ystumcegid, sef fferm Ystumcegid Uchaf yn awr. Tybiaf i'r tŷ gwyngalchog sydd ar ochr y bryn i'r dde gael ei adeiladu cyn oes y Tuduriaid. Yn ôl yr hanes bu'n gartref i John ap Maredydd, un o gymeriadau hanesyddol enwog Eifionydd. Roedd yn ymladdwr o blaid Owain Tudur ac yn arweinydd penigamp. Mewn brwydr byddai ei feibion ac yntau ar flaen y gad ac fe wnâi'n siŵr ei fod yn cadw unig fab teuluoedd eraill yn y cefn. Fe'i anfwyd yn un o'r rhyfeloedd hyn a chafodd graith enfawr ar ei wyneb. Dyna pam y cafodd yr enw Sgweiar y Graith. Fe'i ganed yn negawd cyntaf y bymthegfed ganrif ac mae ei weddillion wedi eu claddu ym mynwent eglwys Penmorfa sydd rhyw bedair milltir i'r de o Ddolbenmaen. Roedd yn agos at ei bedwar ugain oed pan fu farw.

Bu tipyn o ffraeo rhwng teulu Ystumcegid a theulu'r Bercin ynglŷn â therfynau'r ddwy fferm neu ystâd yr adeg honno. Hywel ap Madog Fychan, disgynnydd i Gollwyn ap Tangno, Arglwydd Eifionydd, oedd perchennog y Bercin yn yr unfed ganrif ar bymtheg. Owen, mab ieuengaf Sgweiar y Graith a drigai yn Ystumcegid ac yn ôl yr hanes fe aeth mab Owen â chriw gydag ef i lawr i ymladd teulu Bercin. Cafodd Hywel ei anafu'n arw yn ei ben a bu farw ymhen ychydig ddyddiau. Collodd ei fam hanner ei llaw a thri o'i bysedd wrth geisio'i amddiffyn. Cafodd John Owen Ystumcegid ei garcharu am saith mlynedd yng ngharchar Castell Caernarfon.

Erbyn hyn rwyf wedi cyrraedd y fan lle gallaf gyfarfod â'r sawl a ddaeth gyda cheir i fyny'r afon yn ogystal â'r rhai a gerddodd y llwybr cyhoeddus. Does dim llwybr cyhoeddus yn arwain ar hyd lan afon Dwyfor yn awr felly mae'n rhaid neidio i'r car. Gwelir bron pob modfedd o'r afon o'r ffordd sy'n arwain at ben eithaf Cwm Pennant tua chwe neu saith milltir arall ar hyd y ffordd.

O'r fan yma'n awr fe welwn bentref ar ochr y bryn tua'r gogledd. Pentref y Garn neu Garndolbenmaen yw hwn – Garnbendoman yn ôl ambell un cellweirus. I'r gogledd eto gwelir pentref Bryncir a thu draw iddo mae Pant-glas lle ganed y canwr adnabyddus Bryn Terfel. Roedd Bryncir yn bentref prysur iawn ar un adeg pan oedd y trên yn teithio o Fangor i Afon-wen a chan fod marchnad anifeiliaid yno fe fyddai'n brysur iawn rai dyddiau o'r wythnos. Erbyn heddiw nid oes trên yn teithio i Afon-wen fel sydd yng nghân Bryn Fôn ond mae ym Mryncir farchnad anifeiliaid werth chweil unwaith yr wythnos.

Yng Ngarndolbenmaen y trigai Peter Jones, sef Pedr Fardd (1775-1845) a fu'n athro yn Lerpwl am ran helaethaf ei oes. Roedd yn byw yn Nhan-yr-ogof, Garn, lle cyfarfyddai'r Methodistiaid cynnar.

Roedd ysgol yng Ngarndolbenmaen bryd hynny. Y prifathro

cyntaf oedd John Lloyd Williams (1854-1945), awdur *Atgofion Tri Chwarter Canrif, Y Tri Thelynor* a *Byd y Blodau* – cyfrol sy'n rhestru enwau Cymraeg, Lladin a Saesneg y blodau. Brodor o Lanrwst ydoedd a derbyniodd ei addysg yn Llanrwst cyn mynd i Brifysgol Bangor. Crwydrodd lawer iawn ar erwau ei ardal ac ef a ddaeth o hyd i blanhigyn prin iawn yng Nghwm Pennant, sef y *Kilarney Fern*. Does fawr neb a ŵyr ble y mae heddiw ychwaith, diolch am hynny, neu fe allai ddiflannu eto fel y gwnaeth ar ôl iddi gael ei darganfod. Daeth chwaer J.Ll. Williams, Elisabeth Williams ato i'r Garn pan oedd yn ferch ifanc iawn ac fe ysgrifennodd hithau lyfrau megis *Brethyn Cartref, Siaced Fraith* a *Dirwyn Edafedd*. Gadawodd J.Ll. Williams ysgol y Garn ac aeth i Goleg y Brifysgol ym Mangor i ddarlithio ar ei hoff bwnc sef llysieueg. Yn ddiweddarach aeth yn Athro yng Ngholeg Prifysgol Aberystwyth a dyna ichi golled i'r Garn.

Yn Nhrigfa yr oedd Robert Humphreys yn byw. Ef yw awdur *Siaco'r Mwnci, Aderyn Llwyd a Storïau Eraill* a *Wili Wenci,* yn ogystal â'i gyfraniadau i *Gymru'r Plant*. Bu hefyd yn glerc y Cyngor Plwyf am flynyddoedd lawer ac yn gynghorydd lleol gweithgar dros ben.

Un o Langybi yw D.G. Jones (Selyf) yn wreiddiol ond mae wedi byw yn y Garn ers blynyddoedd bellach ac wedi gwneud ei farc yn y byd cerdd dant. Ef a sefydlodd Gôr Meibion Dwyfor yn 1975. Dyfarnwyd Medal Syr T.H. Parry-Williams iddo yn Eisteddfod Genedlaethol y Bala yn 1997.

Mae'n bryd mynd yn ôl at yr afon neu chyrhaedda' i fyth ben y daith. Haearn a choncrit yw gwneuthuriad pont droed Ystumcegid ac mae hi yma ers rhai blynyddoedd bellach. Rhyd oedd yma gynt ac ni ellid croesi'r afon pan fyddai'r lli yn gryf. Mae'r bont arall yn llawer mwy diweddar ac wedi ei hadeiladu i gario cerbydau dros yr afon. Codwyd honno gan y gŵr enwog a gododd sawl sied o fframwaith haearn mewn aml i fferm yn y cyffiniau a thu hwnt, sef R.J. Penmorfa, bardd ac englynwr penigamp.

Yr ochr isaf i'r bont droed mae Llyn Pont Ystumcegid. Mae llawer o blant y Garn wedi treulio oriau diddan yn nofio yn hwn am mai graean mân, glân sydd ar ei waelod ac mae'n ddigon dwfn i blant allu neidio i mewn iddo o ben y bont. Bydd eogiaid yn cael eu dal yma hefyd pan fydd lli yn yr afon, ond mae'n rhaid bod yn ofalus rhag ofn i'r eog fynd â chi i fyny'r afon ac yna eich arwain yn ôl i lawr yr ochr arall ac oddi amgylch y postyn cerrig sy'n sylfaen i ganol y bont droed. Gwelais amryw yn gwneud hyn ond drwy gymryd gofal a chynnig ychydig o fwyd llwy gellir ddod â'r pysgod yn ôl i'r llyn, os y gŵyr rhywun beth i'w wneud.

Ger y ddau dro nesaf yn yr afon gwelir rhydau llydan gyda digon o dyfiant ar waelod yr afon i orchuddio'r graean. Yma gallwn ddechrau gweld y clâdd pysgod, sef y mannau hynny lle bydd pysgod yn claddu eu hwyau. Mae'n lle delfrydol ar gyfer hyn oherwydd pan fydd yr wyau'n deor bydd gan y pysgod bach ddigon o le i guddio. Fe ddof yn ôl at y claddu yn y man oherwydd yn rhannau uchaf yr afon y cawn y claddu mwyaf.

Y llyn nesaf yw Llyn Coch sydd ar ochr ffordd Tŷ Cerrig. Mae'r afon yn cydredeg â'r ffordd o'r fan yma hyd at y bont droed nesaf. Pont a godwyd gan y clwb pysgota lleol yw honno. Fe'i prynwyd yn ddarnau o atomfa Trawsfynydd er mwyn i bysgotwyr fedru cerdded yn hwylus o un ochr yr afon i'r llall. Mae'n ddigon llydan i fedru gyrru beic modur pedair olwyn drosti hefyd, sydd o fudd mawr i'r ffermwr lleol.

Erbyn hyn rydym ar dir fferm Rhwngddwyryd sydd yn nes at bentref y Garn. Mae'n fferm eithaf ei thir ond yn wlyb iawn ar adegau pan fydd lli go fawr yn yr afon. Gwelais y tir o dan ddŵr lawer gwaith ond fe lifa ymaith yn eithaf cyflym.

Mae'r afon yn gwyro oddi wrth y ffordd yn awr ac yn ymlwybro'n unionsyth bron am Ddolbenmaen. Mae yma lecynnau da iawn i sgota pluen yn y nos, yn enwedig pan fydd y pysgod yn nofio i fyny'r afon. Cofiaf yn dda i nifer o frithyll yr enfys ddianc o fferm yng Nghwm Pennant un tymor a bu tri ohonom yn ceisio eu dal gyda phlu bychan. Cawsom sawl pryd am ddim yn sgîl hynny. Doedden nhw ddim yn bysgod mawr iawn, rhyw bwys i bwys a hanner yr un, ond fe gafwyd hwyl fawr wrth eu dal, er bod sils bach yn bachu ar yr un pryd. Cywion eog a brithyll môr a olygir wrth sils bach. Deuthum i ddeall yn fuan iawn p'run oedd p'run ac felly gallwn ysgwyd y rheiny oddi ar y lein cyn iddynt afael yn y bluen o ddifri. Ni fyddai'r sils bach yn cael unrhyw niwed wrth imi eu hysgwyd i ffwrdd yn y dŵr ond os oedd un yn cael ei ddal roedd hi'n anodd ei ryddhau oddi ar y bluen am mai dim ond ym mlaen y geg y bachai'r bluen. Allan i'r môr yr âi'r gweddill oedd heb eu dal gan chwarae yn ôl ac ymlaen, i mewn ac allan yn y dŵr am ddwy neu dair blynedd.

Ar ochr chwith yr afon uwchlaw'r bont droed mae adeilad mawr newydd. Ynddo mae peiriant sy'n tynnu dŵr o'r afon a'i buro i gael ychwaneg o ddŵr yfed glân i ddisychedu trigolion penrhyn Llŷn. Codwyd yr adeilad yn 1982 os cofiaf yn iawn a bu'r gymdeithas bysgota leol yn bur bryderus yn ei gylch. Ofnai'r aelodau y byddai'n gostwng lefel y dŵr yn yr afon ond sicrhaodd y Bwrdd Dŵr nhw eu bod yn bwriadu gollwng hyn a hyn o ddŵr o lyn Cwmystradllyn cyn ei godi'n ôl yn Nolbenmaen ac na fyddai hyn yn peri unrhyw wahaniaeth i lefel y dŵr yn yr afon. Ond yn anffodus nid felly y bu. Gostyngwyd lefel y dŵr yn ddychrynllyd, tua dwy droedfedd rwy'n siŵr, a bu hyn yn hoelen arall yn arch yr afon.

Islaw'r burfa ddŵr mae gwaith carthffosiaeth y Garn, sy'n gweithio'n dda iawn o ystyried ei oed. Does dim carthion yn dod i'r afon o gwbl, dim ond dŵr glân. Mae tri o'r gweithfeydd hyn ar hyd yr afon ac maent yn gweithio'n rhagorol.

Gerllaw'r gwaith carthffosiaeth mae un o'r llynnoedd gorau i ddal eogiaid yn ystod y tymor. Llyn siwrej y Garn ydyw yn ôl rhai ond ei enw iawn yw Llyn Allt Dywarchen Goch. Mae'r tir ar un ochr iddo'n codi ychydig uwchlaw'r afon ond oherwydd bod anifeiliaid yn tramwyo ar ei hyd mae'r llethr i lawr at y dŵr wedi llithro, y tyfiant yn cael ei ddifetha a'r pridd yn y golwg am ran helaethaf y flwyddyn. Yr ochr uchaf i'r llyn mae argae concrit tua deg troedfedd o hyd a adeiladwyd yr un pryd â'r burfa ddŵr, ond ni wn i ba ddiben. Bu hwn hefyd yn bryder i ni fel sgotwrs rhag ofn i'r gwyniaid bach fethu mynd i fyny'r afon pan fyddai lefel y dŵr yn weddol isel. Gofynnwyd i'r Bwrdd Dŵr osod camerâu yno i fonitro'r hyn oedd yn digwydd yn yr afon. Bûm yn gwylio'r monitor yn gweithio ac fe ddangosodd y pysgod yn mynd i fyny'r argae heb fawr o drafferth, diolch byth.

Uwchlaw'r argae mae'r afon yn llifo'n llydan ac yn esmwyth ac o'r herwydd mae tyfiant go drwchus sy'n lloches braf i bysgod o bob maint ar wely'r afon. Lawer gwaith gwelais glamp o gynffon yn dangos ei hun gan fod y pysgodyn yn rhy fawr i fynd o'r golwg yn y tyfiant. O'r fan yma i fyny mae sawl pwll bychan na wn i eu henwau, os oes enw arnyn nhw o gwbl.

Erbyn hyn rwyf ar dir fferm Tyddyn Mawr Dolbenmaen. Fferm fryniog yw hon ac eithrio ychydig o dir ger yr afon. Mae defaid a gwartheg stôr da iawn wedi cael eu magu ar y fferm hon erioed a bu ychydig o geffylau marchogaeth gan y perchennog yn ddiweddar hefyd.

Yr ochr draw mae tir fferm Tŷ Newydd. Mae'r tŷ a'r adeiladau ar y ffordd i fyny am Garndolbenmaen ar ochr dde y ffordd honno.

Y llyn nesaf, a'r olaf cyn dod at bont Dolbenmaen, yw Llyn Tŷ'r Ysgol. Bu'r llyn hwn yn llawer dyfnach ar un adeg ond erbyn hyn mae trwch o raean wedi ymgasglu ar ei waelod a'i wneud yn fwy bas. Rwyf wedi gweld cynifer ag wyth o eogiaid ynddo gyda'i gilydd.

Mae'r afon yn gwyro'n araf i'r chwith yn awr ac mae tro siarp yn y pen uchaf cyn cyrraedd pont gymharol newydd yr A487 yn Nolbenmaen. Fe'i hadeiladwyd er mwyn i drafnidiaeth heddiw fedru osgoi'r hen bont am fod honno wedi mynd yn rhy gul.

Rhan 3

O Bont Dolbenmaen i Gwmystradllyn a Chwm Pennant

Bydd y sawl sy'n berchen car yn teithio tuag at Garndolbenmaen cyn troi i'r dde ar ffordd yr A487 a dal i fynd am rhyw gwta hanner milltir cyn cymryd yr ail dro i'r dde am Gwm Pennant a theithio draw at yr eglwys ar y chwith. Mae digon o le i barcio'r car yma. Arhoswn am ennyd ar yr hen bont i fyfyrio dros hen hanes ardal Dolbenmaen.

Aiff yr hanes â ni'n ôl i oes chwedl Math fab Mathonwy yn y Mabinogion. Gwelir yr enw 'dol pen maen' yn *The White Book Mabinogion* gan J. Gwenovryn Evans, 1908 (tud. 44). Tybia Syr Ifor Williams fod y chwedl yn dyddio oddeutu 1060 neu ynghynt, er na ysgrifennwyd y Llyfr Gwyn tan 1300-1325. Yn y chwedl fe sonnir am wŷr Pryderi'n dianc o Goed Alun ger Caernarfon i Nantcyll, fferm ger Pant-glas. Oddi yno wedyn aethant i Ddôl Pen Maen cyn teithio i lawr i'r Traeth Mawr a chroesi'r tywod am sir Feirionnydd ac i lawr tua'r de.

Yn ei gyfrol werthfawr *Eifionydd*, sonia Dr C.A. Gresham fod y cwmwd hwn dan ofalaeth y Frenhines Isabella o Loegr oddeutu 1352 a'i fod yn cael ei osod allan ganddi i Iorwerth ap Ieuan, Ieuan Fychan ac eraill. Roeddent yn talu £7.3s.8d am yr hawl i fyw yno. Gelwid y cwmwd yn faerdref yr adeg honno am nad oedd tref Cricieth wedi ei hadeiladu hyd nes y daeth Edward y cyntaf yn frenin. Dyna pryd y collodd Dolbenmaen ei phwysigrwydd fel maerdref.

Mae rhai olion hynafol iawn i'w gweld yma hyd heddiw, megis y domen sydd ar fuarth Plas Dolbenmaen. Ceir golygfa dda ohoni wrth sefyll ger mynedfa'r eglwys o dan y coed pîn. Tybir fod caer bren ar ben y domen ar un adeg a bod brwydrau lu wedi eu hennill a'u colli yma.

Bu'r plas yn dafarn hyd at 1921 ac yna'n ffermdy. Dyma bennill o'r gyfrol *Hen Benillion* (gol: T.H. Parry-Williams):

Wel oni bai'r Dafarn sy'n erw Dolbenma'n
Mi roddwn beth arian, ŵr llydan yn llog;
Cawn liain a brethyn i'w droi am fy nghorffyn
Rhag mynd yn adyn anwydog.

Cysegrwyd eglwys Dolbenmaen i'r Santes Fair a chredir ei bod yn dyddio o'r flwyddyn 1426. Bu Jeffrey Holland yn rheithor ym mhlwy' Penmorfa ac roedd Dolbenmaen o dan yr un ofalaeth. Fe welwch dŷ mawr a adeiladwyd ganddo gerllaw'r eglwys, a Phlas Holland yw enw'r tŷ heddiw. Gwelir englyn o waith Jeffrey Holland ar ei dalcen:

Fy nghell a'm castell costfawr – a'm hurddas
Am harddwch hyd elawr
Fe'th welir di'n deg eilwawr
Pan byddai'n llwch bedd y llawr.

Ar y dde ar draws y ffordd fawr mae fferm Tyddyn Mawr. Fe welwch adeiladau ychydig i fyny'r ffordd a'r tir yn codi y tu ôl iddynt – dyma fryniau Ystumcegid. Uwchlaw'r ffordd mae hen olion tŷ llwyfan Cefn y Fan a fu'n gartref i Ieuan ap Maredudd. Ieuan oedd perchennog Gesail Gyfarch hefyd ar un adeg. Yn ystod gwrthryfel Owain Glyndŵr roedd Ieuan yn cefnogi'r brenin a bu'n amddiffyn castell Caernarfon pan oedd dan warchae gan Glyndŵr. Fe laddwyd Ieuan yno yn 1403. Symudodd Owain a'i wŷr o Gaernarfon i ymosod ar gastell Cricieth ac ar y ffordd llosgwyd Cefn y Fan a Gesail Gyfarch. Tra oedd gwŷr Glyndŵr yn y fro, doedd wiw i gefnogwyr y brenin (a chefnogwyr Ieuan ap Maredudd) ddangos eu hochr ac felly bu'n rhaid cludo corff Ieuan o Gaernarfon dros y môr i'r Traeth Mawr a'i gladdu ym mynwent Penmorfa.

Bu cloddio yng Nghefn y Fan yn 1953 ond ni ddaeth dim diddorol i'r golwg. Erbyn heddiw dim ond ychydig o'r waliau sydd ar ôl i'w gweld.

Rydym yn edrych i fyny'r afon o ben y bont yn awr ac mae golygfa hardd iawn o'n blaenau, sef Cwm Pennant i'r chwith a Chwmystradllyn i'r dde a'r mynyddoedd yn eu hamgylchynu.

Dim ond rhannau o'r ddau gwm a welwn ar y funud; mae'n rhaid mynd i fyny i'w canol i weld eu gogoniant yn iawn.

Fe ddechreuwn yng Nghwm Pennant ac fe awn am Gwmystradllyn yn y man. Efallai eich bod yn gyfarwydd â cherdd Eifion Wyn i Gwm Pennant. Dyma 'gwm tecaf y cymoedd' yn ôl y bardd. Tybed a fyddai o'r un farn heddiw petai'n gweld yr hen gwm yn llawn dieithriaid yn yr haf. Mae'r eglwys wedi cau, yr ysgol wedi ei throi'n dŷ haf a'r capel bach wedi mynd â'i ben iddo bron.

Awn yn ôl yn awr at bont Dolbenmaen. Ar y graig ar y chwith mae olion Castell Caerau. Enw'r graig yw Craig y Llan a thu draw iddi mae Craig y Garn. Os edrychwch ar hyd wyneb y graig i gyfeiriad Cwm Pennant fe welwch faen ar ben y graig sydd fel petai'n barod i rowlio i lawr i'r caeau islaw. Y maen hwn a roddodd ei enw i Ddolbenmaen, neu Ddôl-pen-maen yr hen ddyddiau.

Pan orlifodd yr afon dros ei glannau yn ystod glaw mawr 1986 roedd Dolbenmaen o dan ddŵr dychrynllyd. Doedd dim modd cerdded ar y bont oherwydd bod y dŵr yn cyrraedd at ei bwa ac yn methu llifo oddi tani, felly fe orlifai drwy'r twneli oddeutu'r bont. Gan fod y bont newydd yn is roedd y dŵr yn llifo drosti ac yn cau'r ffordd oherwydd bod tua dwy droedfedd o ddŵr yn gorchuddio'i hwyneb. Nid oedd modd gweld lle'r oedd yr afon a chollwyd llawer iawn o bysgod bach yr adeg honno rwy'n siŵr. Pan orlifodd yr afon roedd y lli mor gryf nes eu cario ymaith a phan ostyngodd lefel y dŵr yn ddiweddarach roedd y pysgod yn gaeth ar dir sych ac yn methu dychwelyd i'r afon.

Mae'n rhaid dilyn yr afon mewn car o hyn ymlaen a hynny ar hyd ffordd gul sy'n arwain heibio i borth yr eglwys. Oddeutu ugain llath i fyny'r lôn mae'r afon yn troi i'r chwith ac ar y tro hwn gwelir Llyn Tro Dolbenmaen. Nid oes llawer o bysgod yn cael eu dal yn y llyn ond mae'n lle digon di-fai pan fydd pysgod yn rhedeg ar li.

Ar law dde'r afon o amgylch y tro fe welwn wal gerrig wedi ei hadeiladu mewn rhwydi o bobtu'r afon. O'r fan yma y caiff y dŵr ei ollwng i bibelli a'i gario i lawr i'r gwaith puro yn is i lawr yr afon. Wrth edrych yn fanwl ar y gwahaniaeth yn lli'r afon yr ochr uchaf a'r lli yr ochr isaf fe welwch faint o ddŵr a gaiff ei dynnu o'r afon.

Ymhen dim fe ddown at Lyn Gaseg neu Lyn Cesig – wn i ddim pa enw yw'r un cywir. Yn ôl Huw Plas, i'r llyn hwn y deuai perchnogion Plas Dolbenmaen â'u meirch i'r dŵr. Roedd Huw yn hen gyfaill i mi. Bu'n gweithio yn y mwynfeydd aur yng Nghanada am gyfnod ac ar ôl hel digon o gelc yn y fan honno dychwelodd adref a phrynu Plas Dolbenmaen a'r Ddôl Fawr yng Nghwm Pennant. Roedd Huw bob amser yn barod am sgwrs ddifyr, ogleisiol ar brydiau. Ychydig wythnosau cyn ei farw daeth ataf i ddweud bod y llywodraeth am yrru pobl Gwlad Pŵyl yn ôl adref am eu bod yn dreth ar y wlad, 'Ond cofia di beidio deud wrth neb rhag ofn iddyn nhw ddod i wybod, neu mi fydd hi'n uffarn ar y ddaear arna i am ddeud.' Dyna'r oll a gefais ganddo y diwrnod hwnnw cyn iddo ddiflannu yn ôl tu ôl i'r wal gerrig a amgylchynai'r Plas. Dim ond unwaith y gwelais i Huw wedyn cyn iddo farw a doedd ganddo ddim i'w ddweud heblaw 'Sut wyt ti hogyn? Mae 'na ddigon o bysgod wedi mynd i fyny i ti neithiwr,' cyn ei throi hi'n ôl tua'r Plas.

Mae Llyn Cesig yn llyn pur dda am bysgod mawr. Gwelir eogiaid rhwng deg ac ugain pwys yn aros yma am gyfnod go hir cyn mentro i fyny i Gwm Pennant. Mae digon o le iddynt guddio yn y dorlan neu o dan y tyfiant sydd ar wely'r afon. Gan ei fod yn llyn eithaf dwfn, tua phymtheg troedfedd a mwy yn ei ganol, maent yn weddol ddiogel ynddo. Mae'n llyn da iawn i sgota nos efo pluen neu bry genwair hefyd, ond mae'n rhaid bod yn ofalus wrth defnyddio pry genwair gan fod llyswennod anferth yma. Cofiaf ddod yma ar fy ffordd adref un noson dywyll iawn a gweld y pysgod yn trochi wyneb y dŵr fel pethau gwyllt. Teflais bluen drostynt ond dim un bachiad a gefais felly newidiais i bry genwair. Fel roedd hwnnw'n cyffwrdd wyneb y dŵr teimlais drawiad cryf, sydyn ac i ffwrdd â'r anghenfil i lawr yr afon. Tybiwn innau mai gwiniedyn mawr oedd wedi bachu. Dyna siom a gefais pan ddaeth llysywen dri phwys i'r lan ar y gro mân! Penderfynais fynd â hi adref i'w bwyta am fy mod wedi clywed rhai'n sôn fod cig reit dda arnynt, ond och! Ni chyffyrddodd y gath mohoni hyd yn oed am ei bod yn rhy wydn a di-flas! Yr afonydd yw lle'r llyswennod, a da o beth yw hynny gan eu bod yn eu cadw'n lân drwy fwyta unrhyw beth marw sy'n disgyn iddynt.

Cred rhai fod llyswennod yn medru bod yn ddinistriol iawn am eu bod nhw'n ymwthio i lawr i'r graean lle bydd pysgod wedi claddu eu hwyau ac yna'u bwyta. Yn Norwy fe gynhaliwyd profion drwy dynnu llyswennod o gladdfeydd eogiaid ac o ganlyniad i hynny gwelwyd cynnydd yn nifer y pysgod. Efallai y buasai hyn yn cynorthwyo ein pysgodfeydd ni gan fod angen gwneud rhywbeth ar fyrder i ddiogelu ein pysgod.

Nid oes llawer iawn o lynnoedd i'w henwi eto gan fod yr enwau wedi mynd ar ddifancoll ers blynyddoedd bellach, ond wedi dweud hynny y llynnoedd y down ar eu traws o'r fan yma i fyny'r afon yw'r rhai mwyaf a dyfnaf. Mae rhai llynnoedd bach di-enw yma ac acw hefyd a'r rheiny'n llynnoedd bach da i ddal pysgod ar lifogydd.

Mae'r afon yn troelli ar hyd dolydd Dolbenmaen yn awr nes y down at Lyn Dwy Afon Dolwgan. Yma y daw afon Henwy ac afon Dwyfor at ei gilydd. Mae'r afon yn gul iawn yma gyda phwll tua deg troedfedd o ddyfnder ynddi. Yn araf y llifa afon Henwy i mewn i afon Dwyfor gan fod ei llifiant yn cael ei atal yn llyn Cwmystradllyn ac mae'r tir o'r fan yma i fyny afon Henwy yn wastad am beth amser.

Erbyn hyn rydym wedi dod drwy dir fferm fechan Corsoer a throsodd i Dyddyn Madyn. Ar dir y fferm hon y llifa afon Henwy i afon Dwyfor. Nid nepell i ffwrdd gwelwn dir fferm Dolwgan Isaf a oedd yn fferm eithaf mawr ar un adeg ond erbyn heddiw mae wedi cael ei rhannu'n llai a nifer o ffermwyr yr ardal yn gofalu amdani. Os edrychwch i fyny am y graig fe welwch Dyddyn y Graig yn dod i'r golwg, fferm fechan sy'n perthyn i deulu Bryn 'Refail Isaf, cartref Margiad Roberts, mam Tecwyn y Tractor!

Dolwgan Uchaf sydd yr ochr uchaf wedyn. Mae'r tŷ ei hun yn dŷ haf erbyn heddiw, fel sawl un arall yng Nghwm Pennant.

Ymlaen ac i'r dde wedyn mae darn o dir a elwir yn Maes Gyfeiliau neu Fryn Gyfeiliau lle mae hen olion ffwrnais haearn. Sonnir amdani yn yr *Ancient Monuments of Wales and Monmouth* a'i disgrifio fel bryncyn rhyw bum troedfedd o uchder a thua saith deg i wyth deg troedfedd o ddiamedr. Cloddiwyd yno yn 1939 a

Cwm Dwyfor ar y chwith a Blaen Pennant, tarddiad afon Dwyfor.

Aber afon Dwyfor

Llyn Du, ger y Morfa.

Cae Criw Bach a Cae Criw.

Pont Llanystumdwy a Llyn Bont.

Golygfa o'r bont gyda'r eglwys yr ochr draw iddi.

Bedd Lloyd George ar lan afon Dwyfor

Yr awdur gydag un o eogiaid yr afon.

Pont Rhydybenllig

Llyn Felin, Rhydybenllig.

Llyn Gaseg, Dolbenmaen.

Carreg Llew

Llyn Neidar

Llyn Gwragedd

Pont Goncrit a Llyn Pont Goncrit

Pont y Gyfyng, Cwm Pennant

Llyn Du, Cwmystradllyn – un tarddiad i ddŵr afon Dwyfor.

daethpwyd o hyd i weddillion lludw'r ffwrnais. Roedd Dolbenmaen ar ffordd y porthmyn ac roedd yno efail i bedoli'r gwartheg cyn eu gyrru ymlaen ar eu taith am y gororau.

Cyn mynd ymhellach i fyny afon Dwyfor rwyf am frasgamu ar hyd afon Henwy gan mai hon yw'r unig afon o faint go sylweddol sy'n cyflenwi dŵr glân gloyw i afon Dwyfor. Af i fyny ar hyd afon Henwy ar yr ochr dde. Mae afon Henwy yn troelli yr holl ffordd i fyny at lyn Cwmystradllyn heb fawr iawn o fannau unionsyth arni. Hon yw afon bwysicaf yr eogiaid a'r brithyll môr ar ddiwedd eu taith o'r môr a bydd nifer dda yn dod iddi bob blwyddyn i ddodwy eu hwyau yn y graean sydd ar ei gwely. Mae'r pysgod yn defnyddio'r afon yma o'r fan ble'r ymuna ag afon Dwyfor i fyny hyd at Felin Pandy yng nghanol Cwmystradllyn.

Ni arhosant yn yr afon yma'n hir, dim ond cyhyd ag y cânt amser i ddodwy. Yna maent yn dychwelyd yn eu holau i afon Dwyfor gan fod mannau gwell i lochesu yn y fan honno.

Wedi cerdded ychydig eto down at y bont fwaog gyntaf ar afon Henwy. Ar y dde i fyny'r cae fe welwch hen ysgol Golan (a adeiladwyd yn 1908) sydd erbyn heddiw'n ganolfan i'r ardal gyfan. Y tu ôl iddi mae tŷ moethus a arferai fod yn hen gapel Methodistaidd flynyddoedd lawer yn ôl.

Cerddaf yn awr ar hyd y ffordd gyda glan yr afon nes dof at Gerrig y Pryfaid. Hen fferm fechan oedd yma ers talwm ond erbyn heddiw mae'r adeiladau wedi eu haddasu'n ganolfan i ysgolion sy'n ymweld â'r lle ac mae'r tir wedi ei uno â fferm arall.

Cyn troi oddi ar y ffordd a mynd dros y bont nesaf ewch i fyny at gyffordd ffordd Golan. Yno fe welwch dŷ gwyngalch o'r enw Pencaenewydd lle prentisiwyd y Parchedig Morris Williams (Nicander) i fod yn saer coed yn ôl y sôn. Bu'n dafarn hefyd ar un adeg.

Trown i'r chwith oddi ar y ffordd a theithio dros bont fwaog arall. Ger y bont mae *lodge* gwyngalchog bychan. Fe arhoswn ar ochr chwith yr afon nes dod o fewn tafliad carreg i weddillion adeilad cerrig. Melin Pandy neu Melin Clenennau oedd hon ac mae'r gwaith cerrig ar yr adeilad yn werth ei weld. Yn ôl y diweddar Owen Williams, Lodge Ymlwch a oedd yn saer maen o'r radd flaenaf, mae gwaith cerrig y felin gyda'r gorau o'i fath yng

Nghymru os nad ym Mhrydain gyfan. Gresyn na fuasai rhywrai fel Cadw yn edrych ar ei hôl yn hytrach na'i bod yn dirywio â threigl amser. Tan yn ddiweddar fe berthynai'r felin i stâd Arglwydd Harlech ond fe'i gwerthwyd i bâr o Lundain sydd wedi ailwneud tŷ'r pandy ar gyfer gwyliau haf a phenwythnosau yn y wlad. Twm Brwclands a arferai fyw ynddo ac i'r rhai a fu'n Eisteddfod Genedlaethol Porthmadog yn 1987 efallai i chi weld llun olew mawr o Twm yn eistedd ar aelwyd ei gartref. Postmon lleol oedd Twm ac roedd yn gymeriad hoffus dros ben. Gwisgai sandalau haf a gaeaf a hynny heb hosanau! Un drwg am gastiau oedd Twm ýn ôl y trigolion lleol. Bu ond y dim iddo golli ei swydd am luchio rhyw daflenni hysbysebu bondigrybwyll a ddeuai drwy'r post bron yn ddyddiol dros ben y clawdd yng Nghwm Pennant, er mwyn cael sbario mynd â nhw i gartrefi anghysbell yr ardal ar gefn ei feic.

Fe arhoswn ar yr ochr chwith yn awr a dal i fynd yn ein blaenau nes dod at dir Clenennau. Dilynwn y llwybr cyhoeddus ar hyd glan afon Henwy ac fe ddown yn y man at Felin Wlân Bryncir yr ochr arall i'r afon. Mae hon yn un o'r ychydig felinau gwlân sydd ar ôl yng Nghymru erbyn heddiw ac yn dal i fasnachu drwy'r byd. Mae'n cyflogi bechgyn a merched lleol o hyd a gobeithio'n arw y gwnaiff hynny am flynyddoedd eto i ddod.

Ymhen ychydig fe welwn dŷ cerrig cadarn yn y coed ar y chwith. Dyma Clenennau, cartref yr enwog Syr John Owen (1600-1660). Ceir ei hanes yn y gyfrol *Enwogion Eifionydd*. Wrth fynd i fyny am Gwmystradllyn fe gerddwn o dir y Clen i dir y Waen, neu'r Weun, ar lafar gwlad ac yna i dir Braich-y-Big. Ar yr ochr arall mae Llys Gwilym, Cefn Coch Isaf, Cefn Coch Uchaf a Bryn Weirglodd. A dyma ni'n awr gerllaw adeilad mawr sy'n hynod debyg i hen fynachlog ym mhen eithaf y cwm. Hen felin Chwarel y Gorseddau ydyw mewn gwirionedd. Tŷ Mawr Ynyspandy yw'r enw lleol arni. Pan oedd hi'n gweithio, hon oedd yr olwyn ddŵr fwyaf y tu mewn i adeilad ym Mhrydain. Byddai'r llechi llorio o'r chwarel yn cael eu cludo i lawr i Borthmadog ar hyd y lein ac yna'u hallforio i bellafoedd byd. Yma y ffilmwyd y carchar yn *The Inn of the Sixth Happiness* gyda Ingrid Bergman, a'r ffilm Gymraeg *Y Briodas.* Cynhaliwyd eisteddfodau yma pan oedd y chwarel yn agored. Cludwyd coed yr adeilad ymaith i godi plasty'r Wern rhwng Porthmadog a Phentrefelin felly dim ond waliau noeth sydd ar ôl erbyn heddiw a Pharc Cenedlaethol Eryri yn gwarchod y safle.

Awn i fyny ar hyd y ffordd gan fod tir digon gwlyb yma ac acw ar hyd glan yr afon. Mae llwybr cyhoeddus gerllaw ond mae mwy i'w weld ar hyd y ffordd.

Awn heibio giât Fferm y Braich a giât fferm y Traean cyn gweld pen eithaf y Cwm a rhan o'r llyn yn dod i'r golwg o'n blaenau. Y lle nesaf y down ato yw hen gapel Methodistaidd y Cwm sydd erbyn heddiw'n dŷ annedd a'r ysgoldy wrth ei ochr. Y lle olaf uwchlaw'r llyn yw Tyddyn. Gadewch eich car yma neu fynd i lawr at y llyn i'w barcio. Yna fe gerddwn heibio i gefn Tyddyn a draw i'r chwarel lle mae golygfa fendigedig o'r Cwm a Bae Ceredigion ac Ynysoedd Tudwal ger Aber-soch yn y pellter os yw'n ddiwrnod braf a chlir. Rhyw dri chwarter awr a gymerwn i gerdded ar hyd ffordd wastad yr hen lein bach sy'n arwain i'r chwarel. Mae'n werth mynd at y chwarel er mwyn gweld y wal fwaog sy'n hongian dros y lein. Fe'i hadeiladwyd er mwyn cyfeirio unrhyw faen a lithrai i lawr o'r chwarel ar y lein. Wrth gerdded tua'r chwarel sylwch ar yr afonig fechan sy'n llifo o dan y ffordd rhyw dri chwarter y ffordd i fyny. Fe welwch Moel Hebog ar y chwith a tharddiad un rhan o afon Dwyfor.

Mae llyn wedi bod yma yng Nghwmystradllyn erioed ond roedd yn llawer llai ei faint yn yr hen amser. Fe godwyd yr argae yn 1952 a chronni llyn 98 acer o arwynebedd er mwyn cael dŵr i ddisychedu'r trigolion lleol. Yna yn 1982 fe godwyd 20 troedfedd arall ar y llyn. Dywedodd Gwynfor Humphreys o'r Garn wrthyf ei fod wedi cael ei yrru at yr hen lyn i nôl sampl o ddŵr o'i waelod cyn codi'r argae. Roedd y rhaff a ddaliai'r botel yn 180 troedfedd o hyd ond ni chyrhaeddodd wely'r llyn, felly ni ŵyr neb faint yw ei ddyfnder.

Clwb genweirio Pwllheli a'r cylch sy'n dal yr hawl pysgota ar lyn Cwmystradllyn heddiw. Yn fy marn i maent wedi ei ddifetha drwy roi pysgod enfys ynddo. Roedd yn llyn da iawn am frithyll brown ers talwm a llawer yn dod yma i'w pysgota.

Mae brain coesgoch i'w gweld yn y cyffiniau hyn ac fe'i gwelir yn aml gyda'r nos yn hedfan i fyny at y chwarel i glwydo. Maent yn nythu o gwmpas y chwarel ac ar greigiau gogleddol Moel Hebog. Mae'r chwarel yn gartref i'r fwyalchen fynydd, y gigfran a'r hebog tramor hefyd ac yn aml fe welwch bâr neu ddau o fwncathod. Mae'n lle delfrydol i wylio adar ac i astudio planhigion tir gwlyb yn y gwanwyn a'r haf.

Fel y soniais eisoes, Chwarel y Gorseddau yw hon. Ni fu fawr iawn o lewyrch arni gydol ei hoes fer. Mae sôn fod William Alexander Maddocks â rhyw gysylltiad â hi ar y dechrau ac mai llechi oddi yma a ddefnyddiwyd i adeiladu to ar ei dŷ yn Nhanrallt, Tremadog. Ond dau Sais o'r enw Robert Gill o Mansfield, swydd Nottingham a John Harris, peiriannydd o Darlington, swydd Efrog a ddatblygodd y chwarel i'w llawn dwf. Hwy hefyd a gododd y rheilffordd wyth milltir o hyd oddi yma i Borthmadog i gario'r llechi i lawr i'r harbwr, a hynny am £22,000. £2,000 a dalodd y ddau yn brydles ar Gefn Bifor lle mae'r chwarel ac fe brynwyd Ynyspandy am £900, a phrydles ar Dyddyn Mawr ac Ynys y Maen yn ddiweddarach. Digwyddodd hyn rhwng 1853 ac 1854 ac erbyn 1856 roedd y chwarel yn cynhyrchu 226 o dunelli o lechi ac 2,148 o dunelli erbyn 1860. Bu cynifer â deugant yn gweithio yma ar un adeg pan oedd y chwarel yn ei hanterth.

Fe welwch weddillion y barics a godwyd ar gyfer y chwarelwyr i fyny yng nghesail Moel Hebog uwchlaw fferm Tŷ Uchaf sy'n furddun erbyn hyn. Tŷ Uchaf yw'r lle cyntaf y dewch ato wrth fynd tua'r chwarel. Ar eich llaw chwith fe welwch olion ffordd fechan sy'n arwain i Dre Forys. Bu cymaint â deunaw uned ddwbl ym mhentref Tre Forys ac yn ôl cyfrifiad 1861 roedd naw teulu yn byw yno'n barhaol.

Codwyd Plas Uwch Llyn yn y coed ar y ffordd i fyny i'r chwarel i'r stiward ond nid oes dim ar ôl yno heddiw ond pentwr o gerrig lle bu'r Plas. Bu'n hostel am gyfnod ond roedd gormod o waith gwario arno ac fe'i dymchwelwyd i'r llawr. Cewch hanes y chwareli yn y gyfrol *Chwareli a Chloddfeydd yn y Pennant* gan Dewi Williams sy'n un o lyfrau darlith Eifionydd. Er ei fod allan o brint bellach mae modd cael gafael arno mewn llyfrgelloedd.

Wel wir, mae'n hen bryd imi fynd yn ôl at afon Dwyfor neu chyrhaeddа i fyth mo ben fy nhaith. Mae un afonig arall yr hoffwn ei chrybwyll sef afon Ddu sy'n llifo i lawr ochr ddeheuol y Cwm. Nid yw hon fawr mwy na rhyw lathen go lew o led ond mae'n un o'r mannau gorau i eogiaid gladdu eu hwyau. Yn 1998 darganfuwyd wystrys dŵr croew neu lymarch *(oysters)* ynddi. Dim ond mewn dwy afon arall yng Nghymru y cewch y rhain sef afon Conwy ac un afon arall yn y de nas cofiaf ei henw. Mae tarddiad yr afonig fechan hon yn Llyn Du sydd ar y ffordd fynyddig o Gwmystradllyn i gyfeiriad Pren-teg.

Rwyf yn ôl erbyn hyn ger Llyn Dwy Afon Dolwgan lle gadewais afon Dwyfor i ddilyn afon Henwy. Rwy'n addo peidio gadael Cwm Pennant eto nes dod at darddiad afon Dwyfor yn y pen eithaf acw.

Daliaf i'ch arwain ar hyd ochr dde'r afon o hyd. Does fawr ddim ar y naill ochr inni ond tir agored a hwnnw'n dir da hefyd. Mae coed gwiail yn ymestyn dros yr afon am ysbaid a dim llyn yn unman nes dod gyferbyn â thŷ fferm Dolwgan lle gwelwn olchfa. Llyn Golchi Defaid yw ei enw, wrth reswm. Wedi mynd heibio iddo does dim ond rhydau i'w gweld nes cyrraedd Pont Lodge Cwm Pennant. Arhoswn ennyd ar y bont ac edrych o'n gwmpas. Ar y dde inni mae'r ffordd yn arwain am Golan a Phorthmadog. Ymhen rhyw bedwar can llath mae'n troi i'r chwith drwy goed rhododendron ac os edrychwch i fyny'r cae ac i mewn i'r coed fe welwch dŵr cerrig, tŵr a godwyd gan berchnogion plasty Bryncir Hall, sef teulu Huddarts. Mae wedi ei atgyweirio'n dŷ moethus i ymwelwyr aros ynddo erbyn heddiw. Nid oes dim o'r hen blasty ar ôl heblaw am yr adfeilion yn y coed islaw'r ffordd ond mae'r stablau'n cael eu defnyddio gan bobl ifanc sy'n dod yno i wneud gweithgareddau awyr agored. Y *Borough of Hillingdon* sy'n berchen arnynt bellach.

Fe wnaiff yr un ffordd eich arwain i gyfeiriad Isallt Fawr hefyd; soniaf am y fferm honno pan ddown ati. Mae fferm fechan arall ar y ffordd hon sef Beudy Parc a chyferbyn â'r stablau mae fferm Bryncir Hall. Perchennog y fferm honno a werthodd stad Hafod y Llan, Nant Gwynant a rhan o'r Wyddfa i'r Ymddiriedolaeth Genedlaethol yn 1999.

Mae stori ddifyr am hen dŵr a phlas Bryncir. Roedd Ifan Cefn Peraidd wedi bod yn gweithio gyda'r ceffylau ar y fferm ers blynyddoedd lawer. Un tro roedd caseg yn gofyn stalwyn ac felly i ffwrdd ag Ifan i Isallt Fawr i fenthyg stalwyn. Cafodd ei siarsio nad oedd y creadur i farchogaeth y gaseg nes y byddai wedi cyrraedd 'nôl i Gefn Peraidd, ac felly y bu. Bu'r stalwyn yno am ddiwrnod neu ddau yn gwasanaethu'r gaseg. Pan ddaeth yn bryd dychwelyd y stalwyn penderfynodd Ifan fynd â'r gaseg i'w ganlyn ar y daith er mwyn tawelu'r stalwyn a bu'r ddau anifail yn ddigon ufudd nes cyrraedd y rhan o'r llwybr sy'n croesi'r ffordd o'r tŵr tuag at y plas. Yno fe gododd y stalwyn ar ei ddwy goes ôl cyn sefyll yn stond a fferru fel delw yn y fan a'r lle. Dechreuodd grynu ac roedd yn laddar o chwys. Nid oedd y gaseg wedi cynhyrfu blewyn ac felly aeth Ifan yn ei flaen i Isallt Fawr. Roedd y perchennog yn aros amdano a phan welodd ei stalwyn yn y fath gyflwr rhoddodd bryd o dafod i'r hen Ifan. Eglurodd Ifan nad oedd y stalwyn wedi marchogaeth y gaseg ar y ffordd a dywedodd am yr hyn ddigwyddodd ar y groesffordd. 'Go fflamia fo. Yr hen ysbryd 'na welodd o mae'n siŵr. Wêl cesig mohono, dim ond stalwyni.' Mae llawer o bobl wedi gweld yr ysbryd hefyd meddan nhw. Mae'n hen le digon bwganllyd yn y dydd heb sôn am yn ystod y nos ond wêl neb fwgan wrth chwilio amdano chwaith, yn ôl yr hen bobl.

Ewch yn eich blaen gyda'r car yn awr neu gerdded y ffordd gul i fyny'r cwm. Fe af innau dros y gamfa a godwyd gan y clwb pysgota i fynd at yr afon sy'n llifo i lawr y Ddôl Fawr. Mae'n eiddo i Blas Dolbenmaen erbyn hyn ac fe'i prynwyd am tua wyth cant o bunnoedd os cofiaf yn iawn. Byddai'n costio miloedd erbyn heddiw rwy'n siŵr.

Mae'r rhan o'r afon sydd yr ochr uchaf i bont y *Lodge* yn andros o le da i bysgod gladdu gan fod yma ddigon o ddŵr yn llifo'n araf dros y graean mân gan hwyluso'r claddu i bysgod bach a mawr. Rwyf wedi sefyll yma sawl tro i wylio'r pysgod yn troi ar eu hochrau ac yn ysgwyd eu cyrff yn erbyn y gro er mwyn creu pant dwfn i'r iâr fedru gollwng ei hwyau iddo, cyn i'r ceiliog yntau arllwys ei lefrith am eu pennau i'w ffrwythloni. Wedi i'r ddau orffen maent yn defnyddio'u cyrff i orchuddio'r wyau â graean gan roi llawer mwy yn ôl nag oedd yno ar y dechrau, felly byddant yn ffurfio pentwr o raean a'r ochr uchaf iddo bydd pant. Dyna sut yr ydym yn medru dweud faint o bysgod sydd wedi claddu y noson cynt. Bydd hyn yn rhan o waith pob cipar afon ar ddiwedd blwyddyn er mwyn cael cofnod o faint o bysgod sydd wedi cael eu claddu yn ystod y flwyddyn. Yn yr amser y bûm i wrthi gwelais ddirywiad mawr mewn rhai mannau.

Does ond rhyw dri llyn arall y medraf eu henwi eto. Y llyn nesaf yw Llyn Bedd sydd ar dro i'r dde gyda chraig yn ei ganol a choeden dderw fawr yn ei gysgodi. Mae ei ben uchaf yn culhau'n arw iawn a bron na fedrwn neidio i'r ochr bellaf, ond gwell peidio mentro gan fod dyfnder y llyn oddeutu chwech i wyth troedfedd.

Troella'r afon yn ei blaen hyd at lyn dyfnaf yr afon i gyd, er bod peth graean wedi ei lenwi yn ystod y blynyddoedd diwethaf. Llyn Newydd yw ei enw, neu Lyn Dyfn Cwm Pennant yn ôl rhai. Arferai fod tua ugain troedfedd yn ei fan dyfnaf ac yn glir iawn bob amser gyda gwaelod glân iddo. Yn y llyn hwn y gwelais i a llawer un arall yr eogiaid mwyaf inni eu gweld erioed, gydag ambell un yn tynnu at hanner can pwys yn ôl rhai, er na welais i un mwy na rhyw ddeugain pwys. Cefais bry genwair i geg yr eog hwnnw ond byddai'n ei chwythu allan yn syth. Wnes innau ddim ceisio'i fachu oherwydd gwyddwn na fuasai gennyf unrhyw obaith ei gael allan o'r llyn heb iddo falu pob lein a oedd gennyf. Fe geisiodd un neu ddau ddal yr eogiaid mawr hyn ond malu'r lein oedd camp yr hen sgodyn bob tro. Clywais am un sgotwr yn beichio crio ar lan yr afon ar ôl iddo fethu dal un ohonynt.

Roeddwn yn pysgota eog ar lan Llyn Newydd yn hwyr un prynhawn ym mis Medi gyda phump o'r creaduriaid yn gorwedd yn braf ar waelod y llyn. Ceisiwn innau eu perswadio i lyncu fy mhry genwair ond doedd dim yn tycio. Wedi hir amser a hithau'n dechrau tywyllu teimlais ias oer i lawr asgwrn fy nghefn. 'Mae'n dechrau oeri,' meddwn wrthyf fy hun, ond diawch erioed, roedd yr hin yn dal yn gynnes. Codais yr enwair ac aildaflu'r pry genwair yn ôl i'r afon ac eistedd eto ond cyn bo hir daeth yr ias am yr eilwaith a theimlwn fod rhywun yn fy ngwylio. Codais a dechrau chwilio o'm hamgylch gan feddwl bod Emrys neu Edgar ei frawd a oedd yn giperiaid ar y pryd yn fy ngwylio. Welais i neb felly eisteddais yn yr un fan. Ond ymhen ychydig teimlais yr ias i lawr asgwrn fy nghefn unwaith eto, a'r tro hwn roedd y manflew ar fy ngwegil yn sefyll allan yn syth a rhyw hen deimlad annifyr yn hel drosof. Codais a phacio'r gêr ac adref â mi heb feddwl ychwaneg am y peth. Ymhen rhai dyddiau roeddwn yn sgwrsio gydag Ifan Cefn Peraidd a soniais wrtho am yr hyn ddigwyddodd.

'O! yr hen fydwraig oedd yn dy boeni am dy fod ar ei ffordd mae'n siŵr. Byddai'n arfer croesi'r llyn yn y fan yna wrth fynd ar ei thaith i fyny am y Pennant os byddai galw arni i gynorthwyo gyda genedigaeth yn un o'r ffermydd acw.' A hynny a fu. Ni soniais air arall am y peth a bûm yn sgota yno lawer gwaith wedyn heb weld dim.

Un nos Wener yn ystod gaeaf 1997 roeddwn yn gwrando ar Dr Derwyn Huws o Aber-soch yn darlithio yn Neuadd Penmorfa. Testun ei ddarlith oedd ei hanes yn hel achau ei deulu a mawr oedd fy syndod pan soniodd am hen, hen fodryb iddo a fu'n byw yn y *Lodge* bach gwyngalchog ar lan afon Henwy ar hyd ei hoes heb fod oddi yno i unman ar wahân i Borthmadog i negeseua a ffair Cricieth ddwywaith neu dair gydol ei hoes. Roedd yr hen wraig honno'n fydwraig ac roedd Dr Huws wedi darganfod ei bod yn croesi'r afon yn rhywle o dan hen blas Bryncir Hall pan fyddai'n mynd i gynorthwyo rhywun yn y Pennant. Mor falch oeddwn o gael dweud fy hanes wrtho a dweud beth oedd Ifan wedi ei ddweud wrthyf am yr hen wraig. Ei ymateb yntau oedd imi gofio gofyn iddi y tro nesaf sawl gwaith yn union y bu yn ffair Cricieth. Tybed ai hi oedd yno mewn gwirionedd ar y noson fythgofiadwy honno ym mis Medi? Pwy a ŵyr.

Dyna ddigon o hanesion bwganod yr afon am y tro. Symudwn ymlaen yn awr gan droelli'n ôl ac ymlaen wrth gadw at lan yr afon o hyd. Ymhen y man fe ddown at y llyn nesaf sef Llyn Plas Hendre sydd ar dir y fferm honno. Mae'n llyn eithaf llydan ac ar dro yn yr afon ond nid yw'n ddyfn iawn. Rhyw wyth i ddeg troedfedd, os hynny, yw ei ddyfnder ac mae'n llyn digon di-fai am bysgod, er yn llyn anodd iawn i'w bysgota am fod gormod o goed ar ei lan.

Cyn imi fynd ymhellach rwyf am fynd yn ôl at bont y *Lodge* a sôn ychydig am beth sydd yr ochr bellaf iddi. Fe gwyd y tir yn weddol serth o'r ffordd gyferbyn â Dolwgan Isaf - tir digon sâl, yn goed a rhedyn yn ystod yr haf ac yn dda i ddim ond i bori defaid. Dim ond yn ddiweddar y gwelais enw ar y coed sy'n arwain i fyny o Ddolwgan hyd at Hendre Ddu, sef Coed y Fron, a hynny ar hen fap *The Township of Dolbenmaen* yn un o weithiau Dr Colin Gresham. Ond nid yw'n dir diwerth i gyd oherwydd ceir llechi ar dir Plas yr Hendre, er nad ydynt o ansawdd da iawn.

Mae'r chwarel lechi yn is i lawr y ffordd o'r Hendre, chwarel lechi a chryn dipyn o ôl gwaith wedi bod arni ar un adeg. Yn 1860 y dechreuwyd ar y gwaith o godi llechi o ddifri ond bu tyllu yma cyn hynny er mwyn gweld beth oedd ar gael. Galwyd y cwmni yn *Hendre Ddu Slate and Slab Quarry* ac fe gâi ei redeg gan Standley, Cooper a Prosser. Cawsant brydles ychwanegol i godi rheilffordd oddi yma i Gricieth drwy diroedd Tyddyn y Graig, Plas Dolbenmaen, Tyddyn Mawr, Rhwngddwyryd, Ystumcegid, Ynys Ddu, Gell, Cefn Collwyn a Phen-y-bryn. Gan nad oedd harbwr yng Nghricieth fel ym Mhorthmadog nid oedd yn werth gosod rheilffordd, er y buasai wedi bod yn llai costus na chodi un o Chwarel y Gorseddau a'r *Prince of Wales* sydd ym mlaen y Pennant. Newidiodd ddwylo a bu Cymry Cymraeg o Borthmadog yn ei rhedeg hyd at ddiwedd ei hoes. Roedd llyn wedi ei greu o dywyrch a phridd yn uwch i fyny na Phlas Hendre ac fe orlifodd un noson yn 1875 a chwalu'r argae. Llifodd y dŵr i lawr y llethr at y tŷ ac yn ôl yr hanes fe dorrodd y ffenestri ac aeth i mewn i'r tŷ gan adael llanast garw. Roedd y tŷ newydd ei ddodrefnu ac fe gostiodd £1,500 o bunnoedd i'w ailddodrefnu. Roedd pedair troedfedd ar ddeg o ddŵr ar lawr isaf y tŷ yn ôl y sôn a bu dynion yn glanhau yno am ddiwrnod cyfan. Ar ôl y noson honno yng Ngorffennaf 1875 daeth hanes y chwarel i ben.

Llifa'r afon yn llawer mwy bas o'r fan yma hyd at flaen y Cwm ond mae ambell bwll dwfn yma ac acw. Ni wn am enwau ond dau lyn o'r fan yma ymlaen. Mae'r cyntaf o'r ddau, sef Llyn Uffern Bach, ychydig ymhellach na'r tro nesaf ac yn agos iawn i'r ffordd.

Ar y dde yma af drosodd i dir Beudy Parc lle mae tŷ unllawr newydd erbyn hyn. Wedi i ni fynd heibio i Lyn Uffern Bach fe ddown i olwg ffermydd yn uwch i fyny'r llethrau sef Isallt Fawr ac Isallt Bach sydd â'u ffermydd wedi eu huno erbyn hyn. Isallt Fawr oedd cartref y diweddar Guto Roberts, Rhos-lan, y cyfaill hwnnw a fu'n actio gyda Ryan Davies yn y rhaglen deledu hynod boblogaidd 'Fo a Fe', yn ogystal ag mewn sawl drama Gymraeg arall. Un o hoff bleserau Guto oedd mynd o amgylch y wlad gyda chamerâu fideo i recordio digwyddiadau y tybiai ef y dylid eu rhoi ar gof a chadw er mwyn ein hatgoffa yn y dyfodol sut yr oedd pethau. Mae ei waith wedi ei gadw yn y Llyfrgell Genedlaethol yn Aberystwyth erbyn hyn.

Mae Isallt Fawr yn enwog am ei meddygon hefyd. Meddygon esgyrn a wasanaethodd lawer drwy Gymru gyfan oeddynt bron i gyd. Y cyntaf oedd Robert ab Richard Owen a aned yn 1678. Ganed iddo yntau saith o blant ac yn ôl Robert Isaac Jones (Alltud Eifion), un o ddisgynyddion y teulu, bu tri deg o deulu Isallt yn feddygon ers 1678. Dyma ychydig o hanes rhai ohonynt yn fyr:

Robert Roberts (1707-1776), meddyg esgyrn a dyn poblogaidd iawn. Roedd gorymdaith hanner milltir o hyd yn ei gynhebrwng yn y Pennant. Llawfeddyg ydoedd yn ôl ei feddargraff.

Griffith Roberts (mab), meddyg yn Nolgellau a meddyg gwaith copr Mynydd Parys yn Sir Fôn ar gyflog o £300 y flwyddyn.

John a Griffith (meibion), John yn marw ger Jamaica pan oedd yn feddyg gyda'r llynges; Griffith yn feddyg yn Nolgellau.

Robert Roberts (1839-1914) a'i frawd Griffith yn feddygon yn Nolgellau a Blaenau Ffestiniog. Bu farw brawd arall o'r enw William Lloyd Roberts a oedd hefyd yn feddyg yn y Blaenau yn dri deg oed.

Gwasanaethodd John Roberts (Caer) Daniel Owen y nofelydd yn 1876.

Fel y dywedais, meddygon gwlad didrwydded oedd llawer o'r meddygon hyn ac roedd rhai yn dilyn galwedigaethau eraill yn ogystal â thrin cleifion. Cysylltir y term 'meddyg esgyrn' â llawer o'r meddygon. Yn eironig iawn fe orweddodd Robert Isaac Roberts (1743-1809), taid Alltud Eifion, am saith mlynedd cyn ei farw ar ôl iddo dorri ei glun yn dilyn cwymp oddi ar ei geffyl. Ef hefyd oedd meddyg Jack Black Ystumllyn a gladdwyd yn un o wledydd Affrica gan berchennog stad Ystumllyn.

Y cyntaf o'r holl deulu a dderbyniodd addysg feddygol oedd Owen Owen Roberts (1739-1866). Mynychodd brifysgolion Dulyn a Chaeredin cyn mynd i weithio fel meddyg yng Nghaernarfon a Bangor. Bu'n weithgar yn sefydlu Ysbyty Môn ac Arfon ym Mangor a'r ysbyty meddwl yn Ninbych.

Ceir rhagor o hanes y meddygon yn y llyfrau canlynol:

Darlith Eifionydd, *Meddygon a Gwyddonwyr Eifionydd,* O.E. Roberts (1984)

Achau yn Eifionydd, T. Ceiri Griffith (1983)

Y Gestiana, Alltud Eifion (1872)

Stiniog, Ernest Jones (1988)

Erbyn hyn mae Isallt wedi ei atgyweirio ac yn 1997 canfuwyd y dyddiad 1571 wedi ei gerfio ar y distyn uwchben y lle tân. Teulu ifanc o Gricieth yw'r perchnogion erbyn hyn a braf yw gweld Cymru Cymraeg yn dal eu gafael ar dai hanesyddol ein bro.

Mae'r afon yn llifo dros wyneb craig gydag ambell bwll neu lyn bychan yma ac acw. Down at bont droed ac arni lwybr cyhoeddus sy'n arwain i fyny am Isallt Fawr a Blaen Pennant. Mae holl ogoniant Cwm Pennant i'w weld oddi ar y llwybr hwn ac mae'n werth mynd am dro ar ei hyd.

Pont Goed yw'r enw lleol ar y bont droed ac fe lifai'r afon yn rhadlon braf oddi tani, ond pan fydd llif mawr yn yr afon mae'r rhuthr yn arswydus ac ni hoffwn ddisgyn iddi yr adeg honno.

Mae'r afon yn troelli fel neidr fawr o'r fan yma i fyny at yr eglwys a saif rhwng y ffordd a'r afon. Oddi yma i fyny hyd at flaen y cwm nid oes unrhyw fath o dyfiant ar wely'r afon a dim cuddfan i bysgod heblaw am ambell dorlan yma ac acw. A beth sy'n gyfrifol am hyn? Ni allaf feddwl am ddim ond glaw asid a'r gwrtaith sy'n cael ei roi ar y tir, oherwydd nid oes unrhyw fath o weithfeydd yn y cwm i wneud difrod i'r afon. Nid oes unrhyw bryfetach gwerth sôn amdanynt o dan y cerrig ar wely'r afon ychwaith, felly mae'n ei wneud yn lle sâl iawn i bysgod fagu. Ond wedi dweud hynny, rwyf wedi bod yn astudio'r afon ac yn rhyfeddol fe sylwais fod llawer iawn o bysgod bach yn ffynnu i fyny yma ac yn y ffosydd sy'n arwain i'r afon. Graean mân sydd ar wely'r afon bellach ac ambell i garreg neu graig go fawr yma ac acw a adawyd ar ôl gan y rhewlifiant yn niwedd Oes yr Iâ.

Mae'r hen eglwys wedi cau ers blynyddoedd lawer ac yn weddol daclus ei chyflwr ar y funud. Felly hefyd yr hen fynwent gerllaw.

Wrth edrych i fyny yn awr mae'r cwm i'w weld wedi cau gan fod craig fawr ar y dde i'r afon yn ymestyn ar draws y cwm tuag at y codiad tir sydd yr ochr bellaf acw a'r ochr uchaf i'r ffordd. Yn y bwlch rhwng y ddau godiad mae pont gerrig hardd iawn o'r enw Pont Llan yn croesi'r afon. Yn ddiweddar fe soniodd un o benaethiaid Cyngor Gwynedd fod y bont hon a sawl un arall o'i bath yn ddigon cryf i ddal loriau mawrion sy'n pwyso hyd at dri deg wyth tunnell. Mae'r pontydd diweddar sydd wedi eu codi o goncrit a dur angen sylw aruthrol cyn y caiff yr un lori o'r fath fynd drostynt.

Y fan yma yw dechrau Cwm Pennant i mi. Oni bai fod y rhewlifiant wedi llwyddo i dorri drwodd yma fe fyddai llyn mawr yr ochr uchaf i'r lle cul hwn rwy'n siŵr. Cyn bod sôn am godi argae ar draws Cwm Celyn bu gwybodusion o Lerpwl yn edrych yn fanwl ar Gwm Pennant yn ôl y sôn, gan feddwl y buasai'n lle delfrydol i adeiladu cronfa ddŵr ond ailfeddwl a wnaethant. Byddai pibellu'r dŵr i Lerpwl o'r fan yma yn rhy gostus. Fe fyddai wedi bod yn andros o lyn mawr a dwfn rwy'n siŵr ac yn llawer mwy delfrydol na Llyn Celyn sy'n sychu'n gyflym yn ystod yr haf. Mae mwy o nentydd yn llifo i afon Dwyfor yr ochr uchaf i'r bwlch hwn yng Nghwm Pennant nag yn unman arall ar ei hyd, yn wahanol iawn i ardal Llyn Celyn ger y Bala. Mae'r ffordd yn codi fymryn yn awr wrth fynd oddi amgylch y graig ond mae'n dal ar yr un lefel â'r afon.

Wedi mynd heibio i'r tro yn y ffordd a chyn cychwyn i fyny'r allt fe welwch ffordd fechan yn arwain i'r chwith. Yng ngwaelod y rhiw sy'n arwain at yr afon mae pont gerrig arall, sef Pont Gyfyng sy'n mynd i fyny at Moelfre, cartref Bronwen Naish a'i theulu. Mae Bronwen yn adnabyddus iawn ym myd cerddoriaeth fel unawdydd ar y bas dwbl ac os ydych yn hoff o fêl a chŵyr gwenyn i'w roi ar eich dodrefn, galwch ym Moelfre. Mae Moelfre yn gartref hunangynhaliol bron sy'n cynhyrchu trydan o'r nant sy'n llifo i lawr o chwarel y Moelfre. Mae ganddynt system ddŵr eu hunain ac maent yn ffermio ychydig o wartheg a defaid hefyd.

Wedi i chi fynd yn ôl at Bont Gyfyng sylwch ar yr afon fechan sy'n llifo i afon Dwyfor. Yn ôl Gwilym Roberts yn ei lyfr ar hanes Cwm Pennant byddai teulu o ddyfrgwn yn byw yn y ceunant hwn yn ymyl llyn o'r enw Llyn Ffridd Côr. Do, fe ddiflannodd y dyfrgi o'r cwm am beth amser ac ni ŵyr neb pam, ond yn ddiweddar cefais wybod fod darnau o bysgod wedi eu gweld i fyny o gwmpas

Braich Dinas. Tybed a yw'r dyfrgi yn ei ôl? Da o beth fyddai clywed ei fod yma unwaith yn rhagor ar ein hafonydd oherwydd bod hynny'n arwydd o lendid y dŵr.

Hwn yw'r ceunant cyntaf o saith yn y cwm ac maent oll yn amrywio o fod yn geunentydd cul i fod yn rhai agored iawn fel y cawn weld yn nes ymlaen. Ar ben yr allt yn awr mae'r hen ysgol sy'n dŷ haf erbyn hyn. Llifa'r afon drwy geunant arall ar dir Moelfre ac o olwg y ffordd yr ochr isaf i'r ysgol gan droi'n ôl yn nes ymlaen at y ffordd a'r capel bach sydd i'w weld wedi i chi fynd dros yr allt. Caewyd y capel rai blynyddoedd yn ôl wedi hir frwydro ar ran trigolion y Pennant ac erbyn hyn mae'r adeilad yn dirywio'n arw.

Soniais ynghynt am brifathro ysgol y Garn, sef John Lloyd Williams. Fe grwydrodd lawer ar y ffordd hon gan droi i'r dde wrth y capel bach a dilyn ffordd fechan tuag at Rhwngddwyafon ac i fyny am Gwrt Isaf. Oddi yno fe ddilynai lwybr cyhoeddus wrth odre Moel Hebog a Moel yr Ogof cyn dod i gwm arall – Cwm Llefrith ar lafar gwlad. Nid dyna ei enw cywir, llygriad o 'Lle Brith' yw 'Llefrith' ac mae'n lle brith iawn hefyd, yn enwedig yn y gaeaf. Pan ddaeth John Lloyd Williams yma fe ddarganfu fod llawer iawn mwy i'r ardal nag a dybiodd. Daeth o hyd i lawer iawn o blanhigion alpaidd ym Moel yr Ogof – y bwlch sydd ym mhen eithaf Cwm Lle Brith. Ceir planhigion prin iawn yno a hefyd redynnau anarferol ond nid wyf am eu henwi am eu bod yn cael eu gwarchod. Caiff y sawl sydd â diddordeb mewn planhigion alpaidd a rhedynnau fynd yno i chwilio eu hunain.

I fyny ar ben y Foel ac yn wynebu'r Wyddfa mae agoriad yn y graig ac yn yr agoriad hwn fe welwch wythïen wen. Bu tyllu am asbestos yma am gyfnod byr iawn ond nid oedd y fenter yn llwyddiant am nad yw'r wythïen fawr mwy na rhyw chwe modfedd o drwch. Yn ôl rhai, yn yr ogof hon y bu Owain Glyndŵr a'i farchogion yn cuddio rhag y gelyn. Mae sôn hefyd fod morwyn y Gesail Gyfarch, fferm uwchlaw Penmorfa, wedi dianc yma i guddio.

Gadewch i ni droi ein hwynebau yn ôl i lawr i gyfeiriad Cwm Pennant ac yn ôl at yr afon neu fe fyddwn wedi mynd dros y bryn ac i lawr i Feddgelert ar hyd afon Clowyn, er mor braf yw'r daith honno.

Rhyw ganllath yn uwch na'r capel mae pont gerrig fechan ac yn y fan honno y llifa afon Cwm Lle Brith i afon Dwyfor. Ymlaen â ni a chyrraedd Pont Plas, pont goncrit a chanllawiau o bibelli haearn arni ac fe lifa'r afon yn hamddenol oddi tani. Yn y llyn islaw'r bont hon y gwelais y dyfrgi olaf i mi ei weld yn y Pennant a hynny yn y 1960au.

Down yn awr at Blas y Pennant, fferm ar ochr y ffordd a'i thir yn cydredeg â'r afon am ryw ychydig.

Wedi pasio'r plas fe ddown at gyffordd sy'n arwain at y Gilfach. Fe'i gwelwch yn y coed wrth odre'r mynydd ar y chwith. Roedd cyn-berchennog y fferm hon yn un hirben iawn. Fe wnaeth i'r afon weithio'n galed iddo a'i defnyddio i gynhyrchu trydan ymhell cyn bod sôn am drydan yn yr ardaloedd hyn. Roedd yr afon yn troi'r olwyn ddŵr i falu ac ati at ddefnydd y fferm hefyd. Nid o afon Dwyfor y daeth y dŵr ond o ffos y Gilfach a honno'n llawn copr a lifai i lawr o chwareli copr Cwm Ciprwth.

Mae afon Dwyfor wedi culhau'n arw erbyn hyn ac nid oes pyllau dwfn iawn ynddi nes cyrraedd y bont goncrit uwchlaw'r Gilfach. Mae pont newydd i ddal lorïau deugain tunnell yma erbyn hyn ond nid yw'r ffordd yn addas i'w dal gan ei bod yn rhedeg ar hyd tir gwlyb iawn ar adegau a thenau iawn yw'r tarmac sydd arni. O dan y bont hon mae pwll deg troedfedd o ddyfnder ac i'r fan yma y daw llawer o fechgyn a genethod i nofio gan ei fod yn bwll arbennig o lân a graean mân ar ei waelod. Dilynwch y ffordd drwy'r giât ar y bont a chofiwch ei chau ar eich ôl gan ei bod yn giât derfyn rhwng ffermydd y Gilfach a Braich Dinas Bach, y fferm fechan nesaf ar y daith.

Tir corsiog a gwael yr olwg sydd o bobtu'r afon yn awr ac ambell i gae glas yma ac acw. Braich Dinas yw'r fferm nesaf ac mae'r teulu wedi bod yma ers rhai cenedlaethau. Yma y bu William Pritchard, cymeriad hoff a garw ei straeon yn ffermio.

Hon yw fferm olaf y cwm sydd bum milltir o Ddolbenmaen a'r ffordd fawr. Wedi mynd drwy'r buarth fe welwn ben draw'r cwm yn dod i'r golwg.

Nid yw'r afon fawr mwy na chwe throedfedd o led erbyn hyn

a'r gro mân ar ei gwely y lle rhagorol i wyniaid gladdu eu hepil cyn troi'n ôl tua'r môr mawr ym Mae Ceredigion. Nid oes pyllau dyfnion i'w cael yn awr ac mae'r tir yn eithaf gwastad hefyd felly nid oes brys ar yr hen afon i lifo oddi yma.

Dyma ni wedi cyrraedd pen uchaf yr afon ac wedi mynd heibio llawer o gladdfeydd pysgod. O fis Mehefin ymlaen y daw'r eogiaid a'r gwyniaid i'r afon gan nofio i fyny at y mannau uchaf a chyrraedd rhwng mis Medi a diwedd y flwyddyn. Bydd eu hwyau yn y gro am oddeutu tri mis neu fwy cyn deor ac fe erys yr epil yn y gro am gyfnod hwy er mwyn cuddio rhag eu gelynion - llysywod, brithyll ac adar. Bydd pob iâr yn dodwy rhwng chwe a deg mil o wyau yr un gyda'r nifer yn dibynnu ar eu maint wrth gwrs. Gall eog pymtheg pwys ddodwy rhai miloedd o wyau. Bydd yr epil yn byw yn yr afon am oddeutu dwy i dair blynedd cyn dechrau meddwl am fynd i'r môr. Ychydig iawn o'r rhain a ddaw'n ôl i'r afon wedi bod yn y môr. Allan o ddeg mil o wyau, dim ond rhyw ddau neu dri y cant a ddaw'n ôl. Aiff y gweddill yn fwyd i greaduriaid eraill neu byddant wedi marw o ryw afiechyd neu'i gilydd. Dyma fantais cael deorfa yn ein hardaloedd oherwydd fe gawn bysgod cryfach yn mynd i'r môr a byddant yn fwy tebol o edrych ar ôl eu hunain a bydd mwy yn dod yn ôl drachefn i ddodwy yn y dyfodol.

Ar ôl cyrraedd y cae ym mhen eithaf y ffordd fe welwch yr afon yn fforchio i'r chwith ac i'r dde. I'r chwith yr awn ni gan mai i fyny yn y bwlch y mae tarddiad afon Dwyfor, lle a elwir yn Fwlch Dwyfor. A dyma ni wedi dod i ben y daith. Os oes digon o amser ac egni ar ôl gennych beth am fynd i fyny at chwarel y *Prince of Wales* ar ochr y mynydd i weld yr olygfa wych o Fae Ceredigion. Dyna pam y cerddais yr afon o'r môr i'w tharddiad, er mwyn gweld y golygfeydd wrth fynd ar i fyny a chael golygfa wych ar ôl cyrraedd wrth edrych i lawr afon Dwyfor.

Un croes, Mam? Tybed?